화약류취급기능사 필기

Gunpowder handling technician writing

필기노트

writingnote

Y.H BOOKS

화약류취급기능사 필기
발 행 | 2024년 01월 22일
저 자 | 영현문고
펴낸이 | 한건희
펴낸곳 | 주식회사 부크크
출판사등록 | 2014.07.15.(제2014-16호)
주 소 | 서울특별시 금천구 가산디지털1로 119 SK트윈타워 A동 305
전 화 | 1670-8316
이메일 | info@bokk.co.kr
ISBN | 979-11-410-6804-2
www.bookk.co.kr

필기노트

이 노트는 제가 기능사 공부했을 때 정리했던 노트를 그대로 옮겨 적었습니다.

저와 같은 초보자들이 조금이나마 쉽게 이해할 수 있게 정리했습니다.!

필기 시험에 나오는 문제의 요점을 정리한 내용입니다.

참고하셔서 시험에 꼭 합격하시기 바랍니다. !

응원합니다 ^^ ☺

Y.H BOOKS

화약류취급기능사 필기
필기노트

Ⅰ.화약

Ⅱ.발파

Ⅲ.지질

Ⅳ.법규

Ⅴ.공식

Y.H BOOKS

Ⅰ.화약

Ⅰ.화약

1. 화약의 개요

1) 화약의 정의

폭발반응을 공업용·군사용에 이용하는 폭발성 물질 또는 혼합물.
충격, 열, 불, 마찰 등에 의해서 급격한 화학반응을 일으키면서 다량의 가스
와 열을 발생시키는 물질

2) 폭발반응

- 연소: 물질이 빛과 열을 내며 산소와 결합
- 폭발: 다량의 열과 가스를 발생하는 화학적 변화
- 폭연: 수십~수백 m/sec, 인접분자간의 분해열에 의한 순차적 폭발 분해
- 폭굉: 1,000m/sec 이상 충격파에 의한 전파, 충격, 마찰, 타격 등 기계적
  충격에 의한 파괴

Ⅰ.화약

3) 화약의 성질

분해 시 짧은 시간에 다량의 열과 가스를 발생하여 압력이 급격히 상승
폭발 연소반응이 전파하는데 충분한 감도·연소성을 가진다.
자체에 산소를 가지고 있어 외부에서 공급받지 않고 연소·폭발이 가능
취급에 안전하고 위력이 커서 경제적으로 이용 가능

4) 화약류가 갖추어야 할 성질

- 파괴효과: 동적효과와 정적효과
- 안전성: 운반, 사용시 안전
- 기폭감도: 용도, 현장 조건에 따른 기폭 용이성
- 저장성: 고화, 노화 등에 대한 안정성

Ⅰ.화약

5) 화약류의 조성

화약은 산화제와 연료를 동시에 함유한 상태

- **산소공급제**: 자체 폭발성은 거의 없지만 열에 의해 쉽게 분해되어 산소를 방출
  - 질산암모늄, 질산칼륨, 과염소산칼륨 등
- **발열제**: 폭약의 위력을 강하게 하는 작용
  - 목분, 황, 알루미늄 등
- **안정제**: 화약류의 경시변화에 의한 분해억제를 위해 배합하는 성분
  - 슬러리폭약의 점조제 등
- **감열소염제**: 발파시 폭발온도를 낮춰 폭염을 억제
  - 식염, 염화칼륨 등

Ⅰ.화약

2. 화약의 분류

화약류를 크게 분류하면 조성, 성능, 용도, 법규로 나눌 수 있다.

1) 조성에 의한 분류
- **화합화약류**
  - 니트로화합물: 피크린산, TNT, 테트릴, 헥소겐(RDX)
  - 질산에스테르: 니트로글리세린(NG), 니트로글리콜(Ng), 니트로셀룰로오스, 펜트리트

- **혼합화약류**
  - 질산염 혼합화약류: 흑색화약, 질산암모늄폭약, 함수폭약
  - 염소산염 혼합화약류: 세딧트, 백색화약
  - 과염소산염 혼합화약류: 카릿트
  - 액체산소폭약: LOX

Ⅰ.화약

2) 용도에 의한 분류
- **발사약**: 무연화약, 흑색화약 등
- **파괴약**: 작약(TNT, 피크린산, 테트릴 등), 폭파약(다이너마이트류, 초안폭약)
- **기폭약**: 뇌홍, 아지화연, DDNP 등
- **화공품**: 도화선, 도폭선, 뇌관, 총용뇌관 등

3) 성능에 의한 분류
- **화약**: 추진적 폭발에 사용될 수 있는 것 → <u>무연화약, 흑색화약</u>
- **폭약**: 파괴적 폭발에 사용될 수 있는 것 → 다이나마이트, 카릿트, TNT

4) 법규에 의한 분류
- **화약**: 흑색화약, 무연화약 기타 이와 동등한 추진적 폭발의 용도에 사용
- **폭약**: 파괴적 폭발의 용도에 사용할 수 있는 것(기폭제를 포함한 폭약)
- **화공품**: 뇌관, 도화선, 도폭선, 실포, 신호용 화공품 등

Y.H BOOK

Ⅰ.화약

3. 화약류의 종류

1) 혼합화약류

비폭발성 물질 2~3종이 혼합되어 폭발성을 갖게되는 것을 혼합화약이라
하며 대부분 산소공급제와 가연물의 혼합체로 구성

산소공급제에 의한 분류

- 질산염 혼합화약류: KNO_3, $NaNO_3$, NH_4NO_3
  - 흑색화약, 질산암모늄폭약, ANFO, 함수폭약, 에멀젼폭약

- 염소산염 혼합화약류: $KClO_3$

- 과염소산염 혼합화약류: $KClO_4$, NH_4ClO_4

Ⅰ.화약

① 질산염 혼합화약류

가) 흑색화약

- 조성: KNO_3(75%), C(15%), S(10%) 로서 가장 오랜 역사를 가진 화약
- 폭발반응: $[2KNO_3 + 3C + S] \rightarrow [K_2S + 3CO_2 + N_2]$

- 성질
  - 폭발속도는 300m/sec 정도이다.
  - 화염, 충격, 마찰에 예민하다.
  - 자연분해를 일으키지 않으며 화학적으로 극히 안정하다.

- 용도
  - 분상: 도화선의 심약
  - 입상: 수렵용, 총포의 탄환 발사용
  - 구상: 흑색 광산화약으로 석재채취, 연질암석의 노천채굴에 사용

Ⅰ.화약

나) 질산암모늄 폭약(초안폭약)

- 조성

질산암모늄, TNT, DNN에 감열소염제 염화나트륨(식염, $NaCl$)등을 가한다.

- 성질
  - 폭발속도는 3,000~5,000m/sec이다.
  - 충격 마찰에 둔감하여 취급이 극히 안전하다.
  - 가연성가스나 탄진이 많은 광산에서도 적합(탄광용 초안폭약)

I.화약

다) ANFO(Ammonium Nitrate Fuel Oil-초안유제폭약)

- 조성
  - 질산암모늄 94%, 연료유(경유) 6%
  - 질산암모늄(NH_4NO_3) : 흡유능력이 좋은 저비중 다공질 알갱이가 좋다.

- 성질
  - 충격, 마찰, 열에 둔감
  - 기폭약 사용시 충분한 위력

- 용도
  - 석회석 및 채석 등 노천채굴에 적합하다.
  - 대규모 발파에 많이 사용, 경암발파에는 부적당하다.

Ⅰ.화약

라) 함수폭약(슬러리폭약)

• 조성

질산암모늄 45-60%, 숫 5-30%(예감제), 알루미늄0-15%(발열제),
물 15-30%-AN-FO폭약의 결점을 보완하기 위하여 질산암모늄에
물을 혼합해서 비중을 크게 하고 위력을 강화한 죽상태의 폭약

• 성질

- 내수성이 있으므로 수공에서도 사용이 가능하다

- 충격에 둔감하고 AN-FO보다 취급이 안전하다

- 겔 상태이므로 장공, 상향공에서도 펌프장진이 용이하다.

- 예감제로 TNT, 알루미늄 등을 사용하기 때문에 고가이다.

- 폭발 후 가스가 양호하다.(NO_2, CO 등)

- 폭속 4,800m 정도

- 장기 보관 시 물이 분리되어 내수성 저하

• 용도

- 갱내발파에 적합

I.화약

마) 에멀젼 폭약(Emulsion)

- 조성

  - 유중수적형 구조로 연속상인 고아유나 왁스 등 오일 중의 질산암모늄,
    질산나트륨의 산화제 수용액으로 구성

  - 유리나 플라스틱의 극소형 중공구체가 예감제로 알루미늄 분말을 발열제로 첨가

  - 수중유적형(oil in water type) : 물속에 기름이 가는 입자모양으로
    분산되어 있는 에멀션의 총칭(예 : 슬러리 폭약)

- 성질

  - 반응속도가 신속하여 빠른 폭속의 폭약제조가 가능하다. (5,000-6,000m/sec)

  - 교질 다이나마이트와 거의 유사한 교질형 폭약과 슬러리형 폭약으로 제조 가능

  - 약포직경과 밀폐도에 의한 폭력에 미치는 영향이 작다.

  - 온도에 의한 영향도 적고 특히 저온 시에 -30℃정도까지는 완폭 한다.

  - 충격감도나 후 가스에 안전하고 발파위력이 크다.

- 용도

  - 갱내는 물론 노천 채굴 등 다양한 장소에서 광범위하게 적용

Y.H BOOK

I.화약

② 염소산염 혼합화약류

염소산염($KCIO_3$)을 주성분으로 한 폭약으로 너무 예민하고 급격한 취급을 금하여야한다.

염소산염을 함유한 혼합물은 광염을 발하므로 연화의 원료로 소량 제조

③ 과염소산염 혼합화약류

과염소산암모늄(NH_4CIO_4)) 또는 과염소산칼륨($KCIO_4$) 등을 주제로한 혼합화약류 발열제로 규소철을 배합하고 염화수소 제거제로 질산칼륨 또는 질산바륨 배합

- **카릿트**

  - 분해, 동결의 우려가 없고 자연분해하지 않으므로 장기저장이 가능하다

  - 흡습성이 심하고 충격, 마찰 등에 대한 감도가 예민하므로 취급에 주의를 요한다.

  - 흑, 자카릿트 등은 CO, HCI 가스가 발생하므로 갱내용으로 부적당하다.

④ 액체폭약

  - 액체산소폭약, 판클라스타이트

Ⅰ.화약

⑤ 무연화약류

• 무연화약의 종류
- Single base 화약: 단기제 화약, SB 화약이라고도 하며,
  NC를 기제로 한 화약
- Double base 화약: 2기제 화약, DB 화약이라고도 하며,
  NC와 NG를 기제로 한 화약
- Triple base 화약 : 3기제 화약, TB 화약이라고도 하며,
  NC, NG, NGd(nitroguanidine)를 기제로 한 화약,
  발생 가스량이 많고 연소온도가 낮아 약량이 많아도
  포신의 소식이 적고 초고속을 낼 수 있는 특징이 있다.

Ⅰ.화약

- **용도**
  - 탄환의 발사약에 주로 이용
  - 로케트 추진약, 석유 천공용, 콘크리트 천공용으로 사용

- **발사약으로서의 장단점**
  - 무연화약은 발사할 때 연기가 적으므로 연속 발사가 가능하다.
  - 무연화약은 연소 잔사가 적다.
  - 무연화약은 위력이 강하다.
  - 무연화약은 흑색화약보다 점화하기 곤란하다.
  - 무연화약은 장기간 저장하면 자연분해를 일으키나 흑색화약은
    자연분 해를 일으키지 않아 저장성이 양호하다.
  - 무연화약은 가격이 흑색화약에 비하여 고가이다.

Ⅰ.화약

2) 화합화약류

다른 성분을 혼합하지 않아도 단독으로 폭발성을 지니고 있는 화합물로 그 분자 중에 폭발생성물을 만드는데 필요한 원소, 즉 O, H, C, H 등을 가지고 있으며 혼산(황산+질산)과 혼합하여 제조한다.

질산에스테르 : 알코올기를 가진 화합물의 OH기를 질산기(NO_3)로 치환

- 니트로셀룰로스(N/C) : $C_{24}H_{24}O_9(NO_3)_{11}$
- 니트로글리세린(N/G): $C_3H_5(NO_3)_3$
- 니트로글리콜(N/g): $C_2H_4(NO_3)_2$
- 펜트리트(PENT) : $C_5H_8(NO_3)_4$

Ⅰ.화약

니트로화합물 : 유기화합물의 탄소원자에 니트로기($-NO_2$)가 3개 이상 결합

- 피크린산(P/A): $C_6H_2(NO_2)_3OH$

- TNT(트리니트로톨루엔): $C_6H_2(NO_2)_3CH_3$

- 테트릴: $C_6H_2(NO_2)_4NCH_3$

- 헥소겐(RDX): $CH_2N(NO_2)_3$

기폭약

- 폴민산수은(Ⅱ) (뇌홍): $Hg(ONC)_2$

- 질화합(아지화연): $Pb(N_3)_2$

- 디아조디니트로페놀: DDNP, $C_6H_2N_4O_5$

I.화약

① 질산에스테르

알코올기를 가진 화합물을 HNO_3로 처리하여 OH기를 NO_3기로 치환한 에스테르류를 질산에스테르라고 한다.

질산에스테르의 일반적인 성질은 자연분해의 성질이 있다.

분해상태가 완만하면 장기간 경과 후 불폭성 물질이 된다.

분해가 왕성하면 차차 가속되어 자연 폭발한다.

가) 니크로셀룰로오스

• **제조** : 셀룰로오스를 질산과 황산의 혼합산으로 니트로화한 것으로 면화약이라고도 부르며 분자속의 질산에스테르기의 수에 따라 강면약, 약면약으로 구분한다.

구 분	질산기	용도	질소량
강면약	10 - 11	무연화약의 원료	12.5~13.5%
약면약	9	폭약의 원료	11.2~12.3%
	7-8	셀룰로오스, 필름, 인조견사	10.7~11.2%

Ⅰ.화약

• **성질**
 - 겉모양은 솜과 비슷하지만 굳고 부스러지기 쉽다.
 - 습면약은 취급에 안전하나 건조한 것은 타격이나 마찰에 의해 폭발한다.
 - 손가락으로 마찰하면 마찰전기를 띠고 피부에 붙으며 암실에서는
   인광을 발한다.
 - 수분 또는 알코올 분이 23%정도 습윤상태로 운반하여야 한다.
 - 온도가 180℃ 이상이면 불꽃을 내며 급격히 연소하지만 다량일 때에는
   폭발한다.
 - 햇빛, 산, 알칼리에 의해 자연분해 된다.

• **용도**
 - N=12.75% 이상의 강면화약은 총포의 추진약 제조에 사용된다.
 - N=12% 근방의 약면화약은 다이너마이트 제조에 사용된다.
 - N=10-11%의 면화약은 셀룰로이드 제조에 사용된다.
 - 일반적으로 다이너마이트 교화제, 무연화약의 제조, 총포의 추진약에
   사용된다.

Ⅰ.화약

나) 니트로글리세린

• 성질

- 순수한 것은 무색, 무취, 투명한 액체이지만 공업용은 엷은 노란색을 띠고 있다.
- 만지거나 그 증기를 호흡하면 두통이 일어난다.
- 마찰, 가열, 충격 등에는 기폭약 다음으로 예민하다.(법규상 액체운반 금지)
- 8℃에서 동결하여 기폭제에 대해 둔해진다.
- 폭발 속도는 8,000m/sec
- 물에 불용이며 벤젠, 알코올 아세톤 등에 녹는다.

※ 니트로글리세린이 흘러나왔을 때는 가성소다용액에 적신 천으로 닦아내거나 톱밥에 흡수시켜 소량씩 모래 위에서 소각시킨다. 물 150ml, 가성소다 100g을 혼합하고 알코올 1L에 녹인 용액

• 용도

- 다이나마이트 및 무연화약의 원료
- 분상폭약의 예감제

Ⅰ.화약

다) 니트로글리콜

- **성질**
  - 유상의 액체로서 유동성이 좋고 휘발성이 있으며 단맛이 있다.
  - 니트로글리세린에 혼합하여 니트로글리세린의 동결점을 낮춰 준다.
  - 니트로글리세린에 니트로글리콜을 10% 혼합하면 -10℃까지, 25% 혼합하면 -20℃까지, -30%혼합하면 -40℃까지 동결되지 않는다.
  - 감도는 NG 보다 둔감하나 뇌관의 기폭에 예민하다.

- **용도** : 난동다이나마이트 및 부동다이나마이트의 제조

NG+Ng 혼합물	10%	25%	30%
동결 온도	-10℃	-20℃	-40℃
구 분	난동다이너마이트	부동다이너마이트	

- **부동 – 니트로글리세린을 25%만 니트로글리콜로 대체한 것**
- **난동 – 니트로글리세린을 10%만 니트로글리콜로 대체한 것**

Ⅰ.화약

라) 펜트리트

• 성질

- 백색 결정으로 물, 알코올, 에테르에는 녹지 않으나 니트로글리세린에는 녹는다.
- 니트로글리세린의 일부와 대치하여 다이너마이트를 제조하면
  다이너마이트의 노화를 방지하고 위력의 저하를 초래하지 않는다.
- 장기저장중 자연 분해성이 완만하다. 질산에스테르 중 안정도가 가장 크다.
- 뇌관에는 민감하고 화염으로는 점화하기 어렵다.
- 비중이 1.77일 때 폭속은 약 8,300m/sec이다.

• 용도

- 다이너마이트의 노화방지제
- 도폭선의 심약
- 뇌관의 첨장약
- 군용폭약

Ⅰ.화약

② 니트로화합물

니트로기(NO_2)가 3개 이상 결합한 화합물로 유기화합물의 탄소원자에 니트로기가 직접 결합한 화합물이다. 한 두개의 니트로기가 있는 것은 폭발성이 약하나 3개의 니트로기가 결합한 트리니트로화합물은 강한 폭발성을 가진다.

- **니트로화합물의 일반적인 성질**
  - 자연분해 경향이 거의 없고 안정하며 장기저장이 가능하다.
  - 비교적 열, 충격에 둔감하다.
  - 흡수성이 낮고 물에 잘 녹지 않는다.

Y.H BOOK

Ⅰ.화약

가) 피크린산

• 성질

- 알코올, 에테르, 및 벤젠에 녹는다.

- 피크린산의 암모늄염은 둔감하고 위력도 강해서 군용폭약으로 쓸 수 있다.

- 충격, 마찰 등 기계적 작용에 대하여 둔감하다.

- 폭발속도는 7,000m/sec 이다.

- 안정도가 크므로 운반 및 저장에 안전하다.

• 용도

- 도폭선의 심약

- 뇌관의 첨장약

- DDNP의 원료

- 군용폭약

Ⅰ.화약

나) TNT

• 성질

- 물에 불용이며 알코올, 벤젠, 아세톤에는 잘녹고 진한 황산에는 100℃에서 녹는다.

- 충격 마찰에 대하여 피크린산 보다 둔감하여 취급이 안전하고 폭력이 약간 작다.

- 중금속과 작용하지 않으므로 직접 탄환에 장전하여 사용한다.

- 대기 중에서 연소하고 다량이라도 기폭약을 사용하지 않으면 폭발하지 않는다.

- 폭발속도는 가루 상태일 때에는 4,000m/sec, 압축하면 6,200m/sec

• 용도

- 도폭선의 심약

- 뇌관의 첨장약

- 폭약의 예감제

- 군용의 작약, 폭파약 등

Ⅰ.화약

다) 테트릴

• 성질

- 물에 불용이고 아세톤, 벤젠에 용해한다.
- 열에 대하여 불안정하며 가열하면 점차 분해된다.
- 충격감도는 피크린산 보다 예민하며 폭력이 크다.
- 강한 독성이 있어 제조 중에는 위생적인 예방조치가 필요하다.
- 폭속은 비중이 1.6에서 7,600m/sec, 비중이 1.7에서 7,850m/sec이다.

• 용도

- 뇌관의 첨장약
- 질산암모늄폭약의 예감제
- 군용 작약의 전폭약

※ 예민하여 폭약에는 사용하지 않음

Ⅰ.화약

라) 핵소겐

• 성질

- 물에 불용이고 아세톤에만 녹고, 열에 대해서 안전하며 충격에 대해서도 둔감

- 폭력이나 점폭성이 강하다.(피크리산 보다 20% 강하다)

- 폭속이 8,400m/sec로서 폭력이 가장 강한 폭약이다.

• 용도

- 도폭선의 심약

- 뇌관의 첨장약

- 전폭약, 군용폭약 등

Ⅰ.화약

마) 디니트로나프탈렌(DNN)

폭성이 적고 충격에도 둔감하므로 단독으로 사용하지 않고 질산암모늄과

혼합하여 폭발시키면 폭발성능이 좋아진다. 폭발속도는 6,000m/sec 정도이다.

※ 질산암모늄 폭약의 예감제로 가장 우수하다.

Ⅰ.화약

③ 기폭약

폭발감도가 대단히 높은 물질로서 적은 충격이나 열에 의하여 쉽게 폭발하는 동시에 인접한 화약이나 폭약을 점폭 시킬 수 있는 화약류

가) 뇌홍(풀민산수은): $Hg(ONC)_2$

• 성질

  - 수은 화합물이므로 유해, 유독하다.

  - 적은 충격이나 마찰, 화염으로도 즉시 폭굉한다.(발화점 170-180℃)

  - 600kg/cm^2로 과압하면 사압에 달한다.

  - 폭발속도는 비중이 3.0에서 4,000m/sec, 5.0에서 5,400m/sec정도이다.

  - 뇌홍이 폭발하면 CO가스를 방출한다.

• 뇌홍폭분

  - 뇌홍의 폭발시 발생산 CO가스를 CO_2로 변환시켜 폭발열을 크게 하기 위하여 뇌홍에 염소산칼륨을 배합한다.

  - 뇌홍과 염소산칼륨(KCIO3)의 배합비율은 80 : 20이다.

• 용도

  - 뇌관의 점폭약으로 구리뇌관에 사용

Y.H BOOK

I.화약

나) 질화연(아지화납) : $Pb(N_3)_2$

• 성질

- 발화점은 320-350℃이지만 발화와 동시에 폭발
- 2,000kg/cm^2의 압축에서도 사압현상을 나타내지 않으며 물속에서도 폭발한다.
- 충격, 마찰에 민감하나 뇌홍보다는 둔감하다.
- 뇌홍보다 기폭력이 우수하고 소량의 화염, 고열원으로 확실히 폭발한다.
- 비중 4.0에서 5,050m/sec, 3.0에서 4,,000m/sec

• 질화연폭분

- 질화연의 발화온도가 높아서 착화가 어려우므로 발화점을 낮게 하기

  위하여 트리니트로레졸신납 및 $NaCO_3$를 혼합해서 만든 것이다.

- 질화납과 트리니트로레졸신납의 배합비율은 40:60이다.

• 용도

- 뇌관의 점폭약으로 알루미늄 뇌관에 사용

Ⅰ.화약

다) DDNP(디아조디니트로페놀) : $C_6H_2N_4O_5$

- **성질**

  - 화학적으로 안전하나 열에 대한 감도는 예민하다(발화점180℃)

  - 폭발속도는 6,900m/sec 로서 맹도가 기폭약 중 가장 크다.

- **용도**

  - 뇌관의 점폭약, 구리뇌관과 알루미늄 뇌관에 모두 사용

라) 테트라센($C_6H_8N_{10}O$)

  - 발화점이 140℃로써 매우 착화성이 좋으므로 질화납 등과 혼합하여 사용한다.

  - 기폭력은 약하므로 총용뇌관, 폭발리벳(rivet)등에 사용한다.

  - 스티판산납, 디느트로레졸신납 등이 있다.

Y.H BOOK

Ⅰ.화약

3) 다이나마이트류

다이나마이트는 NG을 기본물질로 하는 폭약으로 산화제나 가연성물질의 혼합물에 액체상태의 NG를 흡수시킨것이다. (NG 7% 이상)

① 다이나마이트의 종류

- **혼합다이나마이트** : 활성이 없는 규조토 등 흡수제에 NG를 흡수시킨 것
  - 규조토다이나마이트, 스트레이트다이나마이트, 암모니아다이나마이트

- **교질다이나마이트** : 니트로셀룰로오스와 니트로글리세린(20%이상)을
  교질상태로 융합한 것
  - 블라스팅젤라틴, 젤라틴다이나마이트, 젤리그나이트, 암모니아젤라틴, 퍼미티드젤라틴

- **분말다이나마이트** : 니트로셀룰로오스와 교질배합제를 섞어 교질성분이
  20%이하 질산암모늄 다이나마이트, 암석용다이나마이트
  - 질산암모늄 다이나마이트, 암석용다이나마이트

Ⅰ.화약

[다이나마이트류]
② 다이나마이트의 일반적 성질

- 대기 중에서 점화하면 화염을 내며 연소하나 다량이면 열의 집적으로 폭발한다.

- 200-240°C에서 폭발하고 폭발속도는 5,000-7,000m/sec 이다.

- 타격이나 충격에 의해 폭발한다.

- 산, 알칼리에 의해 분해를 촉진한다.

- 8°C내외에서 동결한 것은 둔감하게 되어 완전 폭발에는 다량의 기폭제를 요 함에도 불구하고 충격, 마찰 등의 기계적 작용에 감도가 예민해진다.

- 동결한 것은 가소성이 없어 마찰 및 충격에 대하여 완충성이 없어 위험하다.

- 사용 전에는 반드시 흡습 및 동결을 확인한다.

I.화약

① **혼합다이나마이트**

• **규조토다이나마이트**

액상 니트로글리세린은 폭력은 강하지만 취급이 불편하고 위험하므로 불활성 흡소제인 규조토에 흡수시켜 성형한 것. 현재는 거의 사용하지 않는다.

• **스트레이트다이나마이트**

- 질산나트륨을 흡수제로 하고 가연물로 목분, 황 등을 함유시킨 것

- 스트레이트 40번이라 함은 N/G의 량이 40% 함유된 것을 말한다.

• **암모니아다이나마이트**

- 질산암모늄을 흡수제로 한 다이나마이트

- 분해 생성물이 대부분 가스체로 되고 니트로글리세린의 함유량이 적어 도 초안의 효과로서 니트로글리세린의 양이 많은 스트레이트 다이너마이트 등에 대응하는 위력을 가진다.

Y.H BOOK

Ⅰ.화약

② 교질다이나마이트
가) 블라스팅젤라틴
- **조성** : NG 92-93%, 약면화약(CC) 7-8%

- **성질**
  - 폭속이 7,000m/sec 이상으로 다이나마이트 중 위력이 가장 강하다.
  - 내수성이 좋아 수중폭파에 적합하다.
  - 장기저장 시 약면약의 자연분해로 노화(폭속이 2,000m/sec로 저하)하나 전폭약을 사용하면 정상폭속에 가깝게 폭발한다.
  - 공기중에서 점화하면 연소하고 동결된 것은 소량이라도 점화하면 폭발한다.

- **용도** : 극경암 발파

I.화약

나) 젤라틴다이나마이트

블라스팅 다이나마이트의 위력을 저하시킨 것

• 조성

- NG 50-60%, 약면화약(C/C) 2-3%, KNO_3, $BaNO_3$, 35-40%, 목분

• 성질

- 장기저장 시 노화현상을 나타내며 위력이 저하된다.
- 굳어진 다이나마이트는 손으로 주물러서 부드럽게 하여 사용한다.
- 5kg/cm2의 수압에서 1시간 이상 침수시키면 완전 폭발하지 않는다.
- 황산바륨($BaSO_4$)을 10-20% 섞어주면 20kg/cm2의 수압에서도 완전 폭발한다.
- 폭발속도는 5,000-7,500m/sec 이다.

• 용도 : 폭파용, 채광, 채석, 탄광, 토목공사에 사용

I.화약

다) 젤리그나이트

젤라틴 다이나마이트와 성분은 동일하나 NG함유량이 40%전후

라) 암모니아젤라틴

산소공급제로 질산암모늄을 사용한 것

노화가 비교적 적으나 습기를 흡수하면 굳어지며 불완전 연소하기 쉽다.

마) 퍼미티드젤라틴

암모니아 젤라틴의 산소공급제 일부를 NaCl, KCl 붕사 등 감열소염제로

치환

Ⅰ.화약

③ 분말다이나마이트(NG 7-20%)

가) 질산암모늄 다이나마이트

- 탄광의 인화성 가스나 탄진이 부유하는 경우에도 사용할 수 있어 탄광용 다이나마이트 또는 안전폭약이라 한다.
- 질산암모늄을 주제로 하고 여기에 폭발예감제(DNN, TNT, 니트로글리세린)배합
- 메탄가스나 탄진에 대한 안전도가 높다.
- 흡습성이 크고 교질다이나마이트보다 둔감하다.
- 용도 : 석탄광용, 연암

※ 탄광용 폭약의 조건
- 폭발 생성가스의 온도가 낮고
- 불꽃이 작고 지속시간이 짧은 것
- 폭발속도 또는 충격 파동이 작을 것

Ⅰ.화약

나) 암석용 분말다이나마이트

젤라틴다이나마이트의 NG 양을 줄이고 불꽃의 길이를 짧게 하여 온도를 저하시킨 다이나마이트

④ 특수다이나마이트

- 다이나마이트의 동결점을 낮추기 위하여 니트로글리세린(NG)의 일부를 니트로글리콜(Ng)로 치환

- 난동다이나마이트 : NG의 약 10%를 Ng로 대치한 것으로 어는점은 -10℃

- 부동다이나마이트 : NG의 약 25%를 Ng로 대치한 것으로
  -20℃에서도 동결되지 않는다.

Ⅰ.화약

4) 화공품

화약이나 폭약을 점화, 점폭, 전폭시키는 시동적 역할을 하는 물체를
화공 품이라 한다.

화공품	종류
도화선	완연도화선, 속연도화선
도폭선	<u>1종도폭선, 2종도폭선</u>, 3종도폭선
뇌관	공업용뇌관, 전기뇌관, 비전기식뇌관, 전자뇌관
기타화공품	신호염관, 신호뇌관, 성형작약, 화포

※ 1종: TNT,피크린산 / 2종: 펜트리트, 핵소겐

Y.H BOOK

Ⅰ.화약

① 도화선
완연도화선, 속연도화선으로 구분하나 현재 와연도화선 만 일부 사용

• 도화선의 구조
- 제1종도화선 : 도화선 1m당 3.5g이상 흑색화약을 심약으로 면사에 묻힌 다음 마사로 2중 피복하고 그 위에 방수처리, 다시 면사 10가닥을 감고 외부 마감칠을 한 구조. 도화선의 지름은 5.0mm이상

- 제2종도화선 : 제1종과 같은 약량의 흑색화약을 심약으로 1종과 동일하나 제2피복만 마사대신 면사 5가닥으로 바뀐 구조이며 지름은 4.8mm이상

• 도화선의 특성
일정한 연소시간이 중요한 특성이며 도화선의 심약이 중간에서 끊어지거나 피복이 고르지 못하면 연소시간이 고르지 못하게 된다.

품 종	제 1종	제 2종	제 3종
연소 시간	1m당 120초	120초	130초
내수성	수심1m 2시간	2시간	1시간
용 도	수중터널, 탄광(흰색)	광산용(흰색)	채석, 토목(검은색)

Y.H BOOK

Ⅰ.화약

② **도폭선**

폭약을 금속 또는 섬유로 피복한 끈모양의 화공품으로 점폭 시
5,000-7,000m/sec의 폭속으로 폭굉

- 1종, 2종, 3종도폭선으로 구분되며 내부폭약은 TNT, 피크린산. 헥소겐,
  펜트리트
- 폭굉을 목적으로 하며 기폭은 뇌관을 사용
  (폭약량은 1종 10-20g, 2종 7-10g)

• **제1종도폭선**

- T도폭선 : TNT를 납관에 수납, 폭속 5,500m/sec로 일정하여 다른
           폭약의 폭속 측정시 기준 화약류로 사용
- P/A도폭선 : 피크린산을 주석관에 수납

Ⅰ.화약

- **제2종도폭선**

  - H도폭선 : 헥소겐을 심약으로 도화선 모양으로 가공

  - P도폭선 : 펜트리트를 심약으로 하여 충격 마찰에 TNT보다 민감

- **제3종도폭선**

  - 2종도폭선을 방수도료 가공하여 0.3kg수압에 3시간 이상 내수

- **용도**

  - 많은 폭약을 동시에 폭발시키는 전폭약용도로 장공, 대발파 등의 제발기폭 용도

  - 도트리쉬 폭속측정법에서 폭속측정의 기준화약류(1종 T도폭선)

  - 수목, 철조망 등의 절단발파와 갱도식 대발파에 사용한다.

Ⅰ.화약

③ 뇌관

폭약을 계획된 시간에 기폭시키는 역할을 하는 화공품

- 공업용 뇌관: 도화선으로 점화
- 전기뇌관: 전기발파기로 전기적 점화
- 비전기식뇌관: 플라스틱 튜브인 노넬튜브를 이용한 비전기적 점화
- 전자뇌관: 시그널&전류방식

※ 기폭용어

- 기폭약 : 충격이나 점화에 의해 순간적으로 폭굉상태에 이르는 것을
  기폭이라 하고 이런 성질을 가진 화약류를 기폭약이라 한다.

- 점폭약 : 공업용 폭약의 폭굉을 일어키는 것을 점폭이라 하고 점폭을
  목적으로 하는 기폭약을 점폭약이라 한다.

- 전폭약 : 점폭을 돕는 예민하고 폭력이 강한 폭약을 전폭약이라 하며
  뇌관에 사용되는 첨장약을 전폭약이라 한다.

Y.H BOOK

Ⅰ.화약

[전기뇌관]

• 성질

- 발열제는 백금과 이리듐의 합금으로 된 백금전교이며 저항열에 의해 점화옥 점화

- 점화옥은 티오시안산납과 염소산칼륨의 혼합물을 면화약용액으로 반죽하여 건조

- 뇌관의 저항은 0.8-1.5(Ω), 최소발화전류는 0.3-0.4A, 사용전류는 1-1.5V

- 지발뇌관 각선의색 : 백-적,청,자,녹,황,흑 적-청,자,녹,황의 순

• 종류

- 순발전기뇌관: 연시장치가 없어 전류의 흐름과 동시에 점폭이 되는 뇌관

- 지발(단발)전기뇌관: 점화장치 부분과 기폭약 사이에 연시약을 설치한 뇌관

Ⅰ.화약

⊙ **DS 전기뇌관(보통지발 전기뇌관): 지발간격이 0.1-1.0초**

⊙ **MS 전기뇌관(밀리세컨드 지발전기뇌관): 초시간격이 0.01-0.1초**

※ MS지발뇌관을 사용 시 효과
- 발파 시간을 단축, 보안상 극히 안전하다. 제발발파와 같은 효과가 있다.
- 파쇄 상황이 양호하여 암반이 상하지 않는다.
- 발파에 수반되는 진동 및 폭음이 적다.
- 인접공을 압괴시키지 않고 cut off가 없다.
- 발파 후가스 및 연기가 적다.
- 파쇄 암석이 균일하고 채광량이 많아진다.

※ Nonel뇌관(비전기식뇌관)
- **비전기식 뇌관으로 전기뇌관의 단점을 보완하며 개발한 뇌관**
- 플라스틱 튜브 내에 폭약이 도포되었으며 2,000m/sec폭속의 충격파가
- 플라스틱 튜브내로 전달되어 뇌관을 기폭시키는 시스템

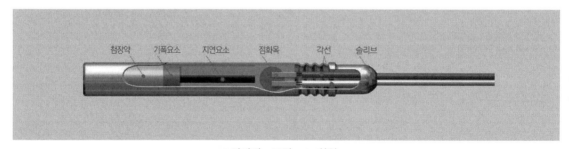

첨장약   기폭요소   지연요소   점화옥   각선   슬리브

* 이미지 – 고려Nobel화약

Y.H BOOK

I.화약

- **특징**

  - 노넬튜브는 비전기식으로 정전기, 미주전류, 낙뢰 등에 안전함

  - 연결작업이 신속하다. 15-20개를 1개 묶음으로 연결 가능(번치컨넥터)

  - 갱도 천반에서 부석(12kg)이 떨어져도 절단되지 않는다.

  - 불로 태워도 폭발하지 않으며 전파 에너지에 강하다.

  - 지연시간(delay time)을 다양하게 조절할 수 있어 발파효과가 증대

Ⅰ.화약

④ **화포**

화약류를 폭발 또는 연소시켜서 빛, 불꽃, 불똥, 연기, 폭음 등을 발생시킴
으로써 관상용으로 이용하는 화공품

- **쏘아올리는 화포** : 폭발성 물질을 종이로 만든 공 모양의 빈 상자 속에
  넣고 이것을 점화시키기 위하여 도화선을 꽂은 것

- 화포제 : 주성분은 흑색화약이며 산화제와 가연성물질로 구성
- 착색제: 빨간색-> 스트론듐 화합물, 노락색-> 나트류염, 녹색-> 바륨염,
  파란색 ->구리화합물
- 불똥제 : 숯 또는 금속가루 등이 고온에서 공기중에 방출될 때
  산소에 의해서 2차적으로 연소
- 불꽃제 : 숯과 금속가루의 혼합물로서 적열상태의 불꽃을 발생, 숯과
  황화칼륨의 혼합물을 사용
- 폭음제
- 발연제: 흰색연기 -> 안연가루, 산화아연, 노란색 연기 -> 계관석,
  검은연기 -> 아트라센, 나프탈렌, 주간용 발연제 -> 물감

Y.H BOOK

Ⅰ.화약

4. 화약류의 특성

1) 낙뢰에 의한 기폭]

낙뢰로 발생된 강력한 전자장에 의하여 방출된 전기에너지에 의한 기폭

직격낙뢰는 도폭선, 비전기뇌관도 위험

뇌가 직접 전기뇌관이나 발파회로에 영향을 주는 것보다 각선이나

발파회로에 유도되어 기폭됨

갱내발파의 경우 갱외에서 갱내로 연결된 전선, 파이프 등에 의한

유도전류가 갱내 발파모선에 유도되어 뇌관이 기폭됨

• 재해방지 대책

- 낙뢰에 의한 재해방지는 기술적인 대책수립이 곤란함
- 일기예보상황 파악
- 낙뢰탐지(탐지기, 라디오 등)
- 낙뢰의 위험이 있을 경우에는 발파작업 중지

Ⅰ.화약

2) 정전기에 의한 기폭
- 나이론 옷을 입고 뇌관을 취급하면 정전기에 의해 뇌관기폭 발생
- AN-FO 장전 시에는 다량의 정전기 발생
- 전기뇌관 발화에너지

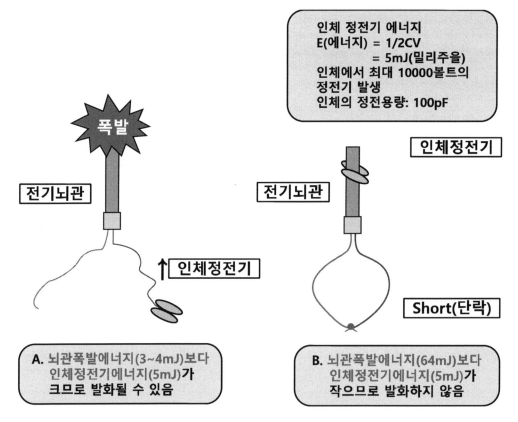

> **인체 정전기 에너지**
> E(에너지) = 1/2CV
>   = 5mJ(밀리주울)
> **인체에서 최대 10000볼트의**
> **정전기 발생**
> **인체의 정전용량: 100pF**

A. 뇌관폭발에너지(3~4mJ)보다 인체정전기에너지(5mJ)가 크므로 발화될 수 있음

B. 뇌관폭발에너지(64mJ)보다 인체정전기에너지(5mJ)가 작으므로 발화하지 않음

최소발화 에너지 > 3-4mj / 인체발생 정전에너지 > 5mj

Ⅰ.화약

3) 정전기발생 및 방지대책

① 현장에서의 정전기 발생
- AN-FO를 압축공기로 장전할 때
- 컨베이어 벨트 작동 시
- 암분, 눈보라 비산 시
- 뇌운이 형성될 때
- 내연기관의 배기 및 비닐 풍관의 배기 접촉 시

② 정전기에 의한 폭발방지 대책
- 상대습도 60%이하인 건조한 날씨에 특히 주의
- 작업원은 면제품 의류 착용
- 작업 중 수시로 맨손을 지면에 접지한다.
- 내정전 전기뇌관, 비전기 점화뇌관 사용
- AN-FO 장전기는 사용 전 필히 접지할 것
- 내연기관 운행 개소 부근에는 전기뇌관 취급금지
- AN-FO 장전시 기폭약포는 5-10분 경과 후 장전한다.

I.화약

5. 화약류의 성능

1) 화약류의 일반적 성능

화약류의 성능이라 함은 안전도와 폭발성능을 말하며 폭발성능은 감도와 폭력으로 나누어 생각할 수 있으며 감도는 폭발반응을 일으키는 성질, 폭력은 물체를 파괴,추진시키는 효과에 대한 특성

- **흡습성**

  - 질산암모늄($NHNO$)을 주성분으로 한 분상계 폭약은 흡습성이 강하다.

  - 질산나트륨($NaNO_3$), 염화나트륨($NaCl$) 등을 질산암모늄에 배합한 것은 고온 다습한 갱내에서는 흡습속도가 빠르다.

  - 폭약이 흡습하면 감도가 낮아진다.

  - 흡습되었던 것은 고화되어 성능이 저하된다.

Ⅰ.화약

• **내수성**

- 교질 다이나마이트는 분상 다이나마이트보다 내수성이 좋다.

- 수압이 증가하면 완전 폭발하지 못한다.

- 교질 다이나마이트를 $5kg/cm^2$의 수압에서 1시간 침수시키면 완전 폭발하지 못한다.

※ 황산바륨 10-15%를 혼합하면 20kg/cm2의 수압에서도 폭발한다.

• **고화**

- 흡습한 폭약이 딱딱해 지는 현상으로 고화된 폭약은 주물러 사용

- 질산암모늄을 함유한 다이나마이트는 오랜시일 저장하면 흡습하게 된다. $NaNO_3$, $NaCl$ 등의 흡습성 염류가 있으면 더욱 현저하다.

- 흡습하여 고화된 폭약은 폭발력이 저하되고 불완전한 폭발을 하기 쉽다.

- 후가스 박생도 많아진다.

- 순폭도가 현저하게 낮아진다.

Ⅰ.화약

[화약류의 일반적 성질]

• **노화**

- 다이나마이트의 장기저장으로 성능이 저하되는 현상
- 저장시간의 경과에 따라 주성분인 NC와 NC의 콜로이드화가 진행되면서 내부의 기포가 없어져서 둔감하게 되고 결국에는 폭발이 어렵게 된다.

• **동적효과와 정적효과**

- 동적효과(파괴효과) : 폭약이 폭발할 때 주위의 고체에 대한 충격파동을 일으킴으로써 어떤 형태의 일을 하는 것
- 정적효과(추진효과) : 폭발성가스나 단열팽창을 할 때 외부에 대해서 하는 일 의 효과

Ⅰ.화약

2) 화약류의 성능 시험법

① 안정도 시험: 자연분해에 대한 안정도 시험
  - 유리산 시험 / 내열시험 / 가열시험

② 감도시험

- 폭발의 용이성 시험
충격감도(낙추시험, 순폭시험) / **마찰감도시험** / **내화시험**(발화점시험,내열시험)
/ **기폭감도**

- 에너지의 종류에 따른 시험방법
  화학적작용 : 안정도 / **열적작용** : 내화감도 / **기계적작용** : 타격감도, 마찰감도

  폭발충동 : 순폭감도 / **뇌관작용** : 기폭감도 / **전기적작용** : 전기적 감도로 측정

Y.H BOOK

Ⅰ.화약

- **충격감도(타격감도)시험 : 낙추시험, 순폭시험**

  - 낙추시험 : 낙하하는 철 추에 폭약이 폭발하는 높이를 측정하여
    표시하 며 폭약에 사용하는 추의 무게는 보통 5kg 사용

  - 완폭점 : 10회 폭발높이

  - 불폭점 : 불폭 최고높이

  - 한계폭점 : 폭발하는 평균높이, 완폭과 불폭이 50%

  - 1/6폭점 : 같은 높이에서 계속 6회 시험하고 1회만 폭발하거나 1회만
    폭발할 것으로 추측되는 노피

- **순폭시험** : 폭발 추격에 대한 감응감도 측정, 사상순폭시험, 밀폐순폭시험
  이 있으며 순폭은 1개의 약포가 그 옆에 있는 다른 약포의
  폭굉에 의하여 감응 폭발하는 현상을 말한다.

  - 사상순폭시험 : 모래 위에 반원형의 홈을 파서 그 가운데에 2개의 폭약을
    일직선상으로 늘어놓고 인접폭약의 폭발로 유폭하는 거리를 측정

  - 순폭거리 : 인접폭약이 완폭되는 최대거리

  - 순폭도 : 순폭거리(s)를 약포지름(d)으로 나눈 값

  - 순폭도 = 순폭거리(s) / 약포직경(d)

Ⅰ.화약

- **순폭도의 성질**

  - 약포사이에 암분이나 탄진이 있는 경우 순폭도가 저하된다.

  - 사상 순폭도에 비하여 밀폐 순폭도가 크다.

  - 순폭도가 클수록 완전 폭발한다.

  - 일반적으로 약포의 지름이 작은 것일수록 순폭 거리가 작아지고 약포직경이
    너무 작으면 순폭이 일어나지 않는다. 이때의 직경을 임계약경이라고 한다.

Ⅰ.화약

- **마찰감도시험**

유발시험과 마찰시험기에 의한 시험방법이 있으며 마찰감도 시험기는 어느 정도 정량적 결과를 얻을 수 있지만 비교적 민감한 폭약에 한정하여 사용

- **내화시험 : 발화점시험, 내열시험**

  - 발화점시험: 화약이 발화되어 폭발할 수 있는 최저온도를 측정

  - 정속가열발화점 시험: 일정한 속도로 가열하며 발화온도 측정

    (100℃에서 매분 5℃)

  - 정온가열 발화점 시험: 온도를 일정하게 하고 4초 후 발화하는 온도 측정

  - 내열시험(내화감도시험, 착화시험) : 착화에 대한 저항성 측정

  - 도화선시험, 적열철제도가시시험, 적열철봉시험법 등

Ⅰ.화약

③ **동적위력시험**: 충격파에 의한 파괴작용의 효과 시험
   - 맹도시험(케스트맹도시험, 헤스맹도시험) / 폭발속도시험

④ **정적위력시험**: 외부에 대한 일의 효과(추진효과)
   - 폭력시험(트라우즐연주시험, 탄동진자시험, 탄동구포시험, 모래시험)

⑤ **화공품 성능시험**
   • 공업뇌관(연판시험, 둔성폭약시험, 못시험, 감응시험)
   • 전기뇌관(연판시험, 둔성폭약시험, 내수도, 점화전류, 단별발화, 내정전기 시험)
   • 도화선(연소속도, 내수성시험)
   • 도폭선(폭발속도, 내수성시험)
   • 검정폭약의 안전도 및 성능시험

I.화약

6. 화약류 취급

1) 화약류 취급소

당일 사용하는 화약류의 작업장 별 분배,

발파 준비 등을 위해 일시 보관하는 전용 건물

화약류 저장소의 구분
- 1급저장소 : 폭약 40톤, 화약 80톤, 전기뇌관 4,000만개, 도폭선 2,000km
- 2급저장소 : 폭약 10톤, 화약 20톤, 전기뇌관 1,000만개, 도폭선 500km
- 3급저장소 : 폭약 25kg, 화약 50kg, 전기뇌관 1만개, 도폭선 1,500km
- 수중저장소 : 폭약 200톤, 화약 400톤
- 간이저장소 : 폭약 15kg, 화약 30kg, 전기뇌관 5,000개, 도폭선 1,000km
- 실탄저장소, 꽃불류저장소, 장난감용 꽃불류저장소, 도화선저장소

Ⅰ.화약

2) 화약류 취급소 설치 및 관리

① 화약류 취급소의 설치 기준

- 통로, 통로로 이용되고 있는 갱도, 동력선, 다른 화약류취급소, 화약류저장소, 화기 취급장소 및 사람이 출입하는 건축물 등에 대하여 안전하고 습기가 적은 장소에 설치할 것
- 단층 건물로서 철근 콘크리트 콘트리트조 콘크리트블럭조 또는 이와 동등 이상의 견고한 재료를 사용하여 도난이나 화재를 방지할 수 있는 구조로 설치할 것
- 지붕은 스레트, 기와 그밖의 불에 타지 아니하는 재료를 사용할 것
- 건물 내면은 방습, 방수제인 페인트나 나무판자로하고, 철물류가 건물내부 표면에 나타나지 아니하도록 할 것
- 문짝 외면에 두께 2mm 이상의 철판을 씌우고, 2층 자물쇠 장치를 할 것
- 난방장치를 하는 때에는 온수, 증기 또는 열기를 이용하는 것만을 사용할 것

I.화약

② 화약류 취급소 관리

- 화약류 취급소는 하나의 사용장소에 대해서 1개소로 한다.
- 경계선 내에서는 흡연 기타의 화기 사용을 금하고 폭발 또는 발화하거나 연소하기 쉬운 것을 적치하지 말아야 한다.
- 화약류취급소 및 부근에서는 약포에 공업뇌관 또는 전기뇌관을 장치하거나 이를 장치한 약포를 취급하지 말아야 한다.
- 화약류 취급소에는 필요한 자 이외에는 출입하거나 또는 정원을 넘어서 동시에 출입하지 말아야 한다

- 접근금지, 위험, 제한구역 등의 표시판을 모든 시각방향에 부착한다.

- 화약류 취급소에 둘 수 있는 화약류의 수량은 1일 사용 예상량 이하로 한다.

- 화약류취급소에는 화약류 수불대장을 비치하고 책임자를 정하여 화약류의 수불 및 잔류 수량을 그때마다 명확하게 기록하여야 한다.

- 화약류 취급소의 내부는 청결하게 정리 정돈하고, 내부작업에 필요한 기구 이외의 물건을 두지 말아야 한다.

- 내부 또는 외부의 보기 쉬운 곳에 취급상 필요한 규칙 및 주의 규정을 게시하여야 한다.

- 기타 화약류취급소에 대한 재해예방규정을 준수하고 화약류취급소보안책임자의 지시에 따라야 한다.

Ⅰ.화약

③ 화약류의 관리

- 사용하다가 남은 화약류는 화약류 저장소에 반납할 것
- 작업을 끝낸 때에는 부득이한 경우를 제외하고 사용장소에 화약류를 남기지말 것
- 미작업이 끝난 후 화약류가 남는 때에는 지체없이 화약류저장소에 반납할 것
- 화약류 취급소에 출납부를 비치하고, 화약류의 수불 및 남은 양을 명확히 기록할 것
- 출납부는 그 기입을 완료한 날로부터 2년간 보존.

3) 화약류 운반]

• 화약류 사용을 위한 법적 조치

- 화약류 사용허가 : 사용장소 관할 경찰서장
- 허가신청서 첨부서류 : 사용계획서, 화약류저장소의 설치허가증 사본
- 화약류 저장소 설치허가 및 설치 : 사용지 관할 지방경찰정장
- 화약류 관리보안 책임자 선임 : 사용장소 관할 경찰서장
- 화약류 양수허가 : 사용장소 관할 경찰서장
- 화약류 운반신고 : 발송지 관할 경찰서장, 운반개시 1시간 전까지

Y.H BOOK

Ⅱ.발파

Y.H BOOK

Ⅱ.발파

1. 발파의 정의

1) 정의

폭약을 사용하여 물체를 파괴하는 작업

화약류 폭발 → 충격압, 고열로 인한 생성가스팽창 → 피폭발물 파괴

2) 용어설명 / 누두공 크기

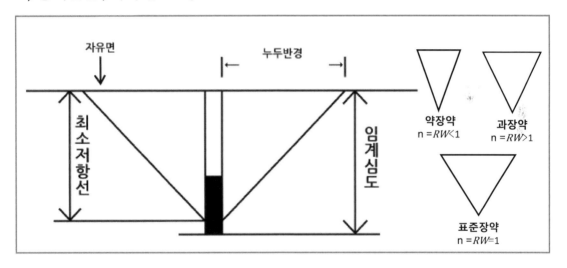

- **자유면** : 암반이 공기 또는 물과 접하고 있는 면
- **누두공** : 1자유면 내부장약법에 의한 폭파로 생기는 원추형의 구멍
- **최소저항선** : 폭약의 중심으로부터 자유면까지의 최단거리
- **누두지수** : 누두공의 반지름(R)과 최소저항선(W)의 비
- **누두공 크기결정** : 암반의 종류, 전색(메지)의 정도. 폭약의 위력(폭파력), 약실의 위치와 자유면까지의 거리

Ⅱ.발파

2. 암석 파괴 메커니즘

1) 암석 파괴

- 약실의 기폭점에서 폭발에너지에 의해 발파공의 공벽이 융해, 파괴
- 충격파가 발생하여 동심원상으로 암반을 통하여 전달

2) 암석 파괴 이론

- 외력(P): 물체가 외부로부터 받는 힘(파괴력)
- 응력: 물체 내부에서 외력에 저항하는 힘
- 응집저항(R): 암석에 생길 수 있는 최대응력
- ☞ 외력P이 암석 응집저항R일 때 파괴가 일어난다

Y.H BOOK

Ⅱ.발파

3) 암석 파괴 순서 및 영역

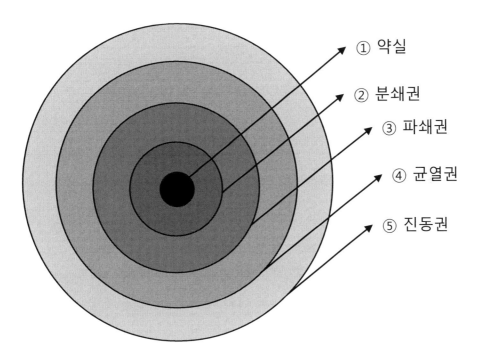

① 약실
② 분쇄권
③ 파쇄권
④ 균열권
⑤ 진동권

[순서]
약실 → 분쇄권 → 파쇄권 → 균열권 → 진동권

• 파쇄권 (소괴, 대괴 합친 걸 뜻함, 소괴→대괴 순서)

Ⅱ.발파

4) 반사파 발생

• 밀도가 큰 물질에서 작은 물질로 응력파가 진행할 때 밀도가 다른 경계면에서 인장 반사파 발생
• 진행(압축)파와 반사(인장)파의 합성파가 인장강도보다 클 때 암석파괴

5) 인장 파괴

압축파와 인장파가 서로 당기는 힘에 의해 인장파괴가 일어나 균열발생

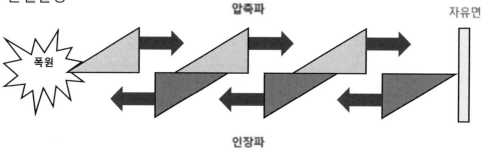

6) 팽창 및 비산

• 충격파에 의해 균열 발생
• 고온 고압의 가스에 의해 확대
• 파쇄된 암반을 가스가 밀어냄

Ⅱ.발파

3. 자유면 파괴 메커니즘

1) 용적변화

 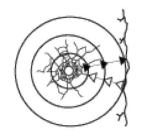 

- **1단계 (장약공 용적 2배확대)**
  기폭점에서 폭발이 시작되어 발파 공벽이 분쇄되면서 장약공이
  2배로 확장
- **2단계 (장약공 용적 4배확대)**
  압축 응력파가 암반내로 음파와 같은 속도로 자유면에 닿은 후 반사될 때
  장약공과 자유면 사이의 암반은 인장력이 작용하여 암석에 균열 발생
- **3단계 (장약공 용적 10배확대)**

2) 자유면의 수와 발파 효율

- 자유면 수의 영향: 증가할수록 인장파괴 증대, 파괴효과 우수,
  장약량 감소
- <u>하우저 발파식 장약량</u> $L = C \cdot W^3$

Ⅱ.발파

3) 자유면 형상과 상대적 장약량

여러 가지 조건의 발파	자유면 형상	자유면 수	상대적인 장약량
일반 계단 발파(수직)		2	1
경사 계단면의 발파		2	0.85
계단 하부가 구속되지 않은 경우의 발파		2	0.75
옥석 발파		6	0.25
누두공 발파		1	2~10

Y.H BOOK

Ⅱ.발파

4) 자유면 발파와 최소저항선

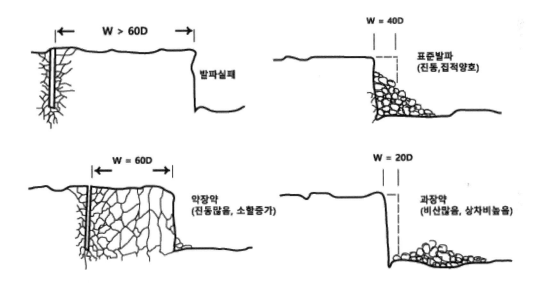

Langefors 식 W = 40D [W: 최소저항선, D: 천공직경(mm)]

Ⅱ.발파

4. 발파목적

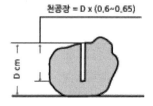 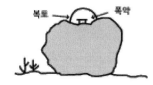 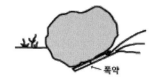

- 광산의 갱도굴진, 지하공간(터널 등) 굴착, 건물 해체
- 석탄, 석회석 등 광물의 생산작업
- 대형 석재 채취
- 군산 및 토목용
- 대괴 암석 소할(=옥석발파) 등

※ 목적보다 큰 규모의 암석 발생 시 재차 발파하여 원하는 크기로 만드는 발파

Ⅱ.발파

5. 광산갱도와 토목터널 비교

- 암반 중 굴착은 목적에 따라 광산용과 토목용으로 분류

- 사용목적이 다르므로 설계 시 고려사항에 차이점이 많음

- 터널설계 기본은 암반 자체의 지보능력을 최대로 이용하여 안정된 터널을 구축(NATM)

구분	광산용 갱도	토목용 터널
대상 부지	광체 부존 위치에 영향을 받음	암질이 양호한 장소 선정
안정성	광산종업원 이용시설로 광석생산 기간 동안 일시적인 안정성필요	다중이용시설로 영구적으로 높은 안정성 필요
보강	광석생산 기간 동안 일정기간 보강 필요	다중이용시설로 영구적인 보강설비 필요
용도	광석생산 통로로 이용	도로교통, 지하철, 지하 공동구 등 공공시설로 이용
연장	연장이 매우 길다.	연장이 짧은 편
지압	-광상 위치에 따라 지압의 영향이 매우 큼 -광석채굴로 인해 계속 변화되는 지압의 영향을 받음	대부분 50m 이내 천부굴착으로 지압의 영향이 적음

Ⅱ.발파

* [참고] NATM공법

암반/지반의 자체 지지력을 최대로 이용하기 위해 <u>굴착 즉시 락볼트와</u> <u>숏크리트를 이용해 굴착면을 보호함</u>으로서 굴착으로 인해 발생한 <u>암반/</u> <u>지반의 자체 강도를 최대한 이용하는 터널공법</u>

NATM 공법은 지질의 변화에 대응하기 쉽고 팽탕성 원지반, 토사원지반, 암반에서도 시공이 가능하며 지질이 복잡하게 변화되는 장대터널에서 도 가능

Ⅱ.발파

6. 발파 영향요소

발파 효과를 좋게 하기 위해서는 대상 암반에 따라 적합한 폭약을
하고 적당한 방법을 이용하여 발파

1) 발파결과에 영향을 주는 요소
- 지질조건
- 암석의 물성 및 역학적 성질

2) 조절발파 설정 요소
- 자유면의 수
- 천공직경
- 천공 깊이와 경사
- 최소저항선의 길이와 공간격
- 폭약의 종류와 특성
- 기폭방법 및 기폭순서

Ⅱ.발파

7. 발파법

1) 갱내 천공 각부의 명칭

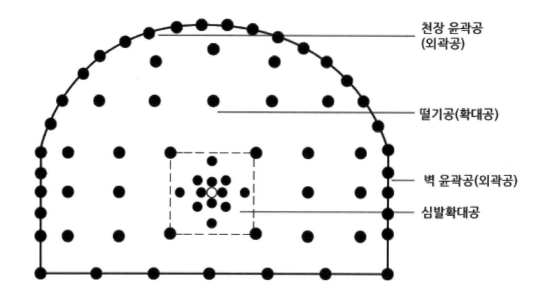

천장 윤곽공
(외곽공)

떨기공(확대공)

벽 윤곽공(외곽공)

심발확대공

2) 외곽공 경사

- **Look Out (확천량)**

  확천량 = 착암기 높이(10cm) +3cm/m (천공길이 m 당 3cm)

  Q. 천공장이 3m 이면 외곽공의 확천량은?
  A. 19cm

Y.H BOOK

Ⅱ.발파

3) 심발발파(심빼기 발파)

1자유면 발파(터널, 갱내 등)시 자유면 증가를 위하여 암반에 파쇄면을 만들어 2자유면 발파가 되도록 만들어 주는 발파. (Ex.경사공 심발, 평행공 심발)

4) 경사공 심발 특징

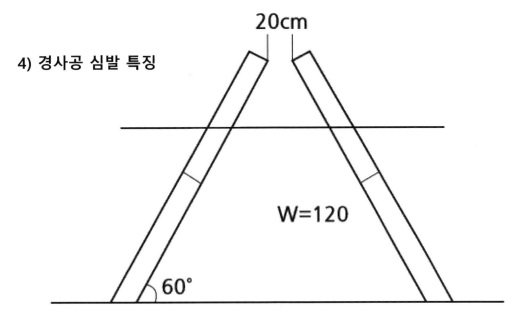

- 가장 오래된 공법
- 암질 변화에 대응하여 심빼기 변경가능
- 천공각 60~70°, 공저 공 간격: 20cm
- 천공수가 적어 천공시간 단축
- 집중 장약되며 강력한 폭약 사용

Ⅱ.발파

5) 경사공 심발 종류

• 브이컷(=쐐기형, 설형)

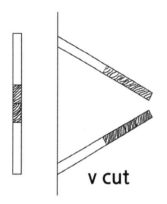

v cut

• 팬컷(= 부채형)

- 굴진면 넓은 곳에 利, 천공 및 폭약 소비 少

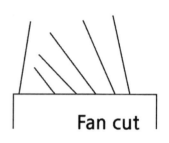

Fan cut

• 피라미드 컷(=추형, 다이아몬드컷)

- 강인한 암석발파, 공저 합치

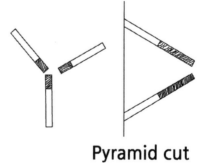

Pyramid cut

Ⅱ.발파

6) 평행공 심발 특징

- 평행천공 중 몇 개의 공은 무장약공 → 자유면 역할
- 터널 크기에 따라 1회 발파 굴진장 경사공 심발 보다 많음(3m이상 가능)
- 파쇄암 크기 작고 균일, 비산거리 비교적 적고 막장 부근에 집중
- 천공 간격 평행 → 천공 기술 숙련 요함
- 굴진장 2m이하에서는 비효율적(천공수 많음)

Ⅱ.발파

7) 평행공 심발 종류

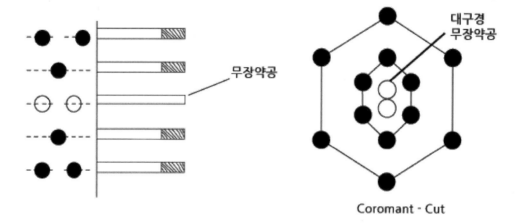

무장약공

대구경
무장약공

Coromant - Cut

- Burn – Cut (번커트)
- 대구경 평행공(실린더 컷)
- Coromant – Cut (코로만트 컷)

Ⅱ.발파

8) 대공경 심발(=대구경 평행공심발)

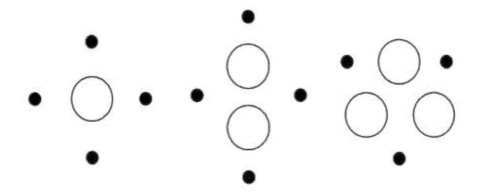

- 무장약공 1개: 신선한 결질의 암반, 천공장 3m이내
- 무장약공 2~3개: 절리 및 균열 발달, 천공장 3~5m

Y.H BOOK

Ⅱ.발파

9) 무장약공과 장약공간 간격

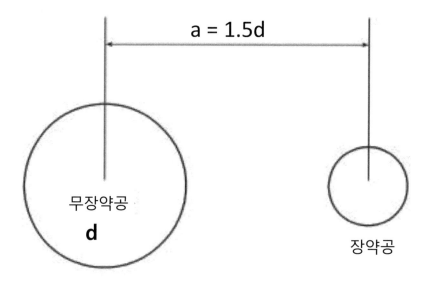

- 무장약공과 발파공간의 간격은 무장약 공경의 1.5배

- 무장약공과 장약공의 지름과 공간 거리는 $1.5d > a > \dfrac{D+d}{2}$

- 단, d(무장약공 직경), D(장약공 직경) a(공간거리)

Ⅱ.발파

10) 코로만트심발

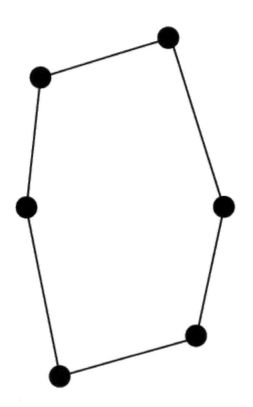

- 소단면 갱도에서 1발파당 <u>굴진장을 번커트보다 길게</u> 하기 위한 천공법

- 안내판(Template) 사용, 미숙련부도 용이하게 천공, 경량 천공기 사용가능

Ⅱ.발파

11) 평행공 심발 고려사항

- 무장약공(대구경)의 지름 → 지름이 클수록 굴착 효율이 좋다.
- 천공의 정밀도 → 공간거리 편차가 심하면 발파 효과 저하
- 장약밀도 → 저비중 폭약 사용
- 저항선 → 천공장 2.5m~3m가 적당

Ⅱ.발파

8. 계단식발파

1) 벤치구성

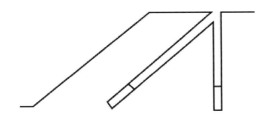

- 벤치높이: 10~15m
- 벤치경사: 65~75°
- 전사면경사: 40~50°
- 운반도로: 30m 이상
- 도로경사: 8~12°

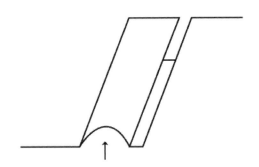

- 천공간격: 0.8~1.5W

  (현장에서 1.0W 많이 사용)

- 천공경사: 60~70°

  (파쇄효과 양호, 파단면 절단효과 좋음)

- 뿌리깍기: 유지관리 향상

  (작업장 중장비 이동 원할)

Ⅱ.발파

2) 뿌리깍기 방법

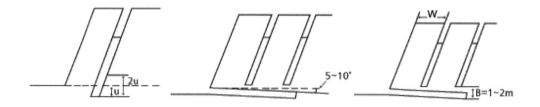

- 보조천공(Sub Drilling): 0.3~0.35W
- 토우홀(Toe Hole): 계단하부에서 5~10° 경사천공

Ⅱ.발파

3) 발파순서

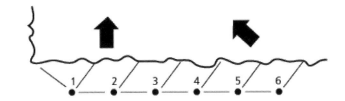

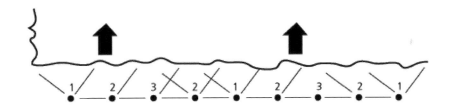

[보안물건 위치 고려 중요]

* 화약류의 취급상의 <u>위해로부터 보호가 요구되는 장비</u>, 시설

Ⅱ.발파

9. 조절발파

최종 벽면 손상을 최소화하고 평탄한 굴착면을 남기기 위한 공법

1) 기본원리

적은 장약량으로 공 주위에 균열을 발생시켜 공과 공을 연결하는 파단면을 형성하는 것

2) 조절발파 종류

조절발파 종류	
충격파 차단	라인드릴링(Line Drilling)
	프리스플리팅(Pre-Splitting)
충격파 조절(디커플링 장약)	쿠션블라스팅(Cushion Blasting)
	스무스블라스팅(Smooth Blasting)

Ⅱ.발파

3) 디커플링

천공벽과 폭약 사이 공간(공기중) 형성

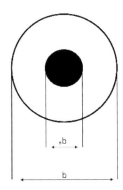

- 동적효과 감소 → 균열로 인한 파괴 범위 좁아짐
- 정적효과 → 폭발 생성 가스 팽창으로 압력 약함
  ☞ 벽면 보호, 진동, 소음 억제

4) 측벽효과

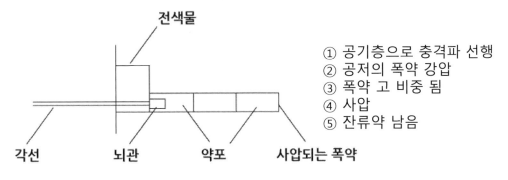

① 공기층으로 충격파 선행
② 공저의 폭약 강압
③ 폭약 고 비중 됨
④ 사압
⑤ 잔류약 남음

* 저폭속 폭약에서 특히 현저

Y.H BOOK

Ⅱ.발파

Line drilling	
파단예정면을 따라 천공들의 간격을 좁게(천공경의 2~4배) 연속적으로 천공(무장약)	
전열공(장약공)에 비해 열간격 50-75% 전열공 간격은 앞 열에 비해 50-75%	
발파 후 벽면 암반의 파손이 적다(과굴 적다)	
천공 비용과 시간이 많이 소요됨	
균일한 암반조건 필수	

[우측 그림: 자유면 / 1열 2열 3열 / 무장약공 — 파단면]

Pre-splitting	
굴착 예정선따라 조밀 천공, 폭약 적게 장전, 약하게 먼저 발파	
발파 지역과 기존 암반 격리	
전색 미실시 비석 위험 크므로 발파 덮개 사용	
라인드릴링보다 천공수 적어 천공비 절약	
불균질 암반에도 효과 좋음	
발파공이 주 발파공보다 먼저 점화	
암반상태 미확인한 상황에서 원발파 실시	
비산위험	

[우측 그림: 자유면 / 파단면]

Ⅱ.발파

Cushion blasting	
천공경 보다 작은 약경의 폭약	
디커플링효과 활용, 완전 매지	
매지는 폭발 충격 흡수하여 벽면 균열과 응력 최소화	
라인드릴링보다 간격 넓어 천공비 절약	
불균질한 암질에서도 좋은 효과	
주 발파공 점화 후 발파(2회 발파)	
90°코너에서는 프리스프리팅 결합	파단면
Smooth Blasting	
공 간격은(s) 최소저항선(B) 보다 작게 [S ≤ 0.8B (S=0.6B가 적당)]	
NATM공법에 필수적, 낙석 위험 적음	
제발발파, 다른 발파공들보다 높은 번호로 점화	자유면
약포직경 작고, 전폭성 좋은 정밀 폭약	
굴착면 평활해짐에 따라 통기 좋고, 수정작업 적음	
천공간격이 보통 발파보다 좁아 천공수 많음	
고도의 천공기술이 요구됨	

Ⅱ.발파

10. 발파작업과 안전

1) 발파작업 순서

천공 〉 기폭 약포 제작 〉 폭약 장전 〉 전색 〉 결선 〉 대피·경계 〉 점화 〉 확인

2) 천공

가) 천공위치선정

• 갱도단면 중앙이나 중앙하부

  (파석의 이동 적게 하고 중간공이 하향 발파되어 폭약소비 줄일 수 있음)

• 전발파 잔류공 있으면 피해서 이동

나) 천공작업시 주의점

• 잔류공 이용 절대금지

• 천공작업 중 장약금지

• 천공지점의 부석을 제거하여 항상 깨끗한 상태유지

• 천공작업 시 항상 주변 확인 ▶ 낙반, 전석 등 불의의 사고 예방

Y.H BOOK

Ⅱ.발파

3) 기폭약포 제작

기폭약포(전폭약포)

폭약자체로는 지극히 안정하기 때문에 이를 기폭시켜 줄 폭력이 필요함

다른 폭약을 기폭시킬 때 사용하는 폭약을 기폭약(Primer charge)이라고 하며, 뇌관을 약포에 부착한 것을 기폭약포(=전폭약포)라함

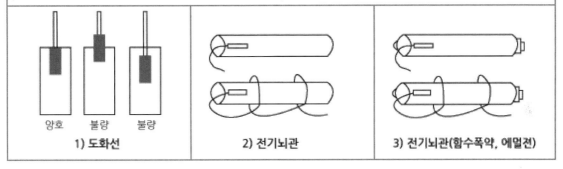

양호	불량	불량
1) 도화선	2) 전기뇌관	3) 전기뇌관(함수폭약, 에멀전)

기폭약포 제작 시 주의 사항

• 기계/전기시설, 낙반, 습기 등에 안전한 장소

• 천공심도와 대피시간을 고려한 도화선 길이 계산

• 도화선 및 뇌관의 이상 유무 확인(흡습 및 불순물)

<광산안전기술기준>

제57조 발파작업시 화약류의 취급

• 약포에 구멍을 낼 때는 나무로 제작된 봉(뇌관봉)을 이용하여야 한다.

• 뇌관을 갱도바닥에 놓고 기폭 약포를 제작하여서는 안된다.

Ⅱ.발파

4) 기폭약포 제작

역기폭	
기폭점 : 공저	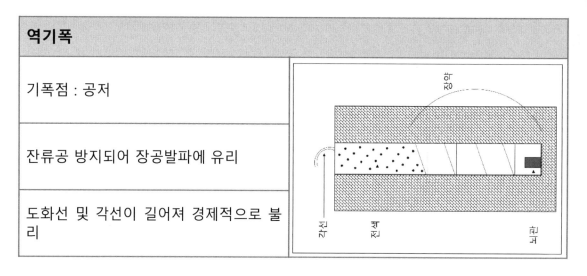
잔류공 방지되어 장공발파에 유리	
도화선 및 각선이 길어져 경제적으로 불리	

정기폭	
기폭점 : 공구(입구)	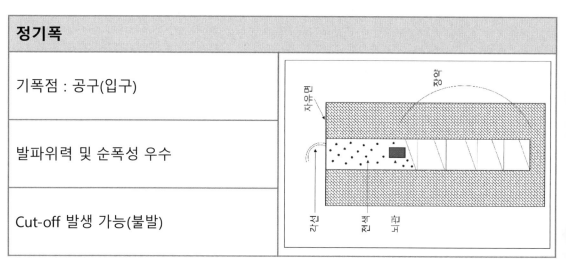
발파위력 및 순폭성 우수	
Cut-off 발생 가능(불발)	

Ⅱ.발파

5) Cut-off

1. 인접공 발파에 의해 옆 도화선이 뛰쳐나감

2. 기폭약포가 폭발하기 이전에 공중으로 튀어 나가서 공중에서 폭발하고 나머지 폭약은 잔류

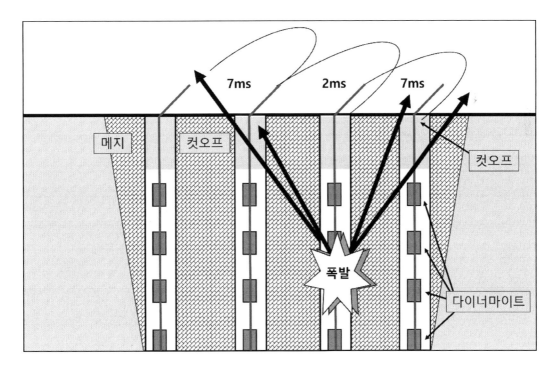

*도폭선 : 5,000~7,000 m/sec   *시그널튜브 : 2,000 m/sec

Y.H BOOK

Ⅱ.발파

원인 천공간격 협소
기폭약포 위치가 너무 공구 가까이 있을 때
갱내 심발발파에서 주변공의 장약이 길 때
예기치 못한 균열이 있을 때 등

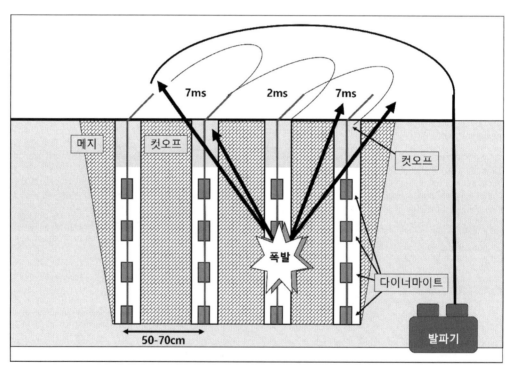

순발전뇌관도 2~7ms차 발생 ☞ 도폭선 사용할 것

Y.H BOOK

Ⅱ.발파

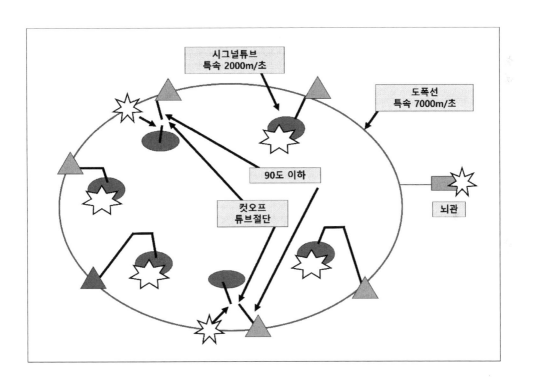

도폭선 파편에 의해 시그널 튜브 절단

☞ 도폭선과 시그널 튜브 복토, 연결 시 90° 꺾어 연결, 15cm이상 격리

Ⅱ.발파

장전시 주의사항	천공장내 암분 압축공기로 청소
	다짐봉을 사용하여 1개씩 장전
	전기뇌관 발파 시 단수가 바뀌지 않도록 주의
	ANFO 장전기 사용시 정전기에 주의
	분상폭약은 강한 압축 금지 (고화현상 방지)
	폭약 및 뇌관이 남는 경우 취급소로 보관 후 반납

Ⅱ.발파

6) 전색(메지)

전색		
- 폭약 밀폐시키고 가스 방출막아 가스압 효과 높임		
조건	• 구하기 쉽고, 값이 싸고, 빠르고, 단단히 다질 수 있는 것 • 발파에 의한 발생가스의 압력을 견딜 수 있는 것 • 불발 시 잔류폭약을 회수하기 용이한 것	
종류	• 점토 함수율 20-25% • 모래 함수율 10%, 50메시 이하를 50% 함유한 해사 • 모래+점토 혼합 함수율 13%, 혼합비 1:1	
효과	• 폭발효과 제고 • 발생가스압의 돌출방지로 공발현상 방지 • 발파 후 연기 발생 억제 • 가연성가스 및 탄진(석탄가루)에 대한 인화 위험 방지	

Ⅱ.발파

7) 뇌관

[기폭시스템]

폭약이 폭발하기 위해서 마찰, 열, 충격이 필요

금속 관체에 기폭감도가 예민한 화약(기폭약, 첨장약)을 채워 전기 또는 비전기적인 방법에 의해 기폭하여 열을 발생시키고 폭약이 전폭 됨

```
┌─ 공업용 뇌관 : 도화선 발파 시 사용
│
│                  ┌─ 순발전기뇌관
├─ 전기식뇌관  ─┤
│                  └─ 지발전기뇌관
│                          ┌─ DS 뇌관 : 초시간격 0.1~1.0초
├─ 비전기식뇌관          ├─ MS 뇌관 : 초시간격 0.01~0.1초
│                          └─ LP 뇌관
└─ 전자뇌관
```

Ⅱ.발파

8) 전기뇌관

고려노벨화약(뇌관 종류)		
순발뇌관	KS뇌관	LP뇌관

고려노벨화약 (지연시차)									
MS					**LP**				
단수	지연시간(ms)	각선색상			단수	지연시간(ms)	각선색상		
순발	0	백		적	-	-	-		적
2	25	백		청	2	500	백		청
3	50	백		자	3	600	백		자
4	75	백		녹	4	700	백		녹
5	100	백		등	5	800	백		등
6	125	백		흑	6	900	백		흑
7	150	적		청	7	1000	적		청
8	175	적		자	8	1200	적		자
9	200	적		녹	9	1400	적		녹
10	225	적		등	10	1600	적		등
11	250	백		적	11	1800	백		적
12	275	백		청	12	2000	백		청
13	300	백		자	13	2500	백		자
14	325	백		녹	14	3000	백		녹
15	350	백		등	15	3500	백		등
16	375	백		흑	16	4000	백		흑
17	400	적		청	17	4500	적		청
18	425	적		자	18	5000	적		자
19	450	적		녹	19	5500	적		녹
20	475	적		등	20	6000	적		등

* 이미지 – 고려Nobel화약

Y.H BOOK

Ⅱ.발파

9) 시중 판매 전기뇌관

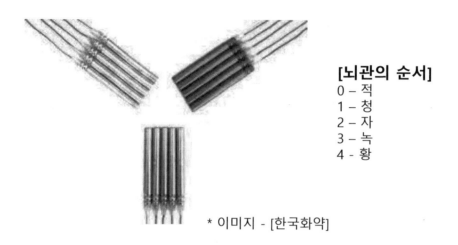

[뇌관의 순서]
0 – 적
1 – 청
2 – 자
3 – 녹
4 - 황

* 이미지 - [한국화약]

10) 결선(직,병렬)

직렬결선	• 인접되어 있는 전기뇌관의 각선연결 • 작업이 쉽고, 회로검사 용이(불발 시 검사 용이) • 뇌관 저항이 모두 같을 것
병렬결선	• 각 뇌관의 각선을 모선에 연결 • 대형발파(장공발파, 벤치발파)에 이용 • 결선이 어렵고, 회로 검사 곤란
직병렬결선	• 몇 개의 직렬군을 병렬로 결선 • 대발파에 사용

Ⅱ.발파

11) 전기발파 결선

[주의사항]
- 미주(누설)전류 및 정전기에 취약
- 갱내 결선작업 시 기전시설에 의한 누설전류에 유의
- 갱외 발파 시 정전기 및 낙뢰 등에 유의

12) 비전기 발파

Nonel(비전기식)뇌관
뇌관
Al관체로 고성능 첨장약 내장, 튜브로 연결
튜브
외경 3mm, 내경 1.5mm의 플라스틱관(내부 폭약도포)
• 플라스틱 튜브 폭속 2,000m/s
• 튜브는 폭굉하지 않고 원형유지 됨
• 발파모선으로 스타터 사용, 길이 50~100m

Ⅱ.발파

Nonel(비전기식)뇌관

• 전기뇌관 단점을 보완함 정전기, 미주전류, 수분 등 전기재해에 안전

• 외부의 충격, 열 등 기계적인 에너지에 강함

• 결선 작업이 용이, 신속하여 작업 능률 높음

*커넥터를 사용 15~20개를 1묶음으로 연결

• 다양한 지연시간(100MS, 200MS, 500MS 등)의 조절로 발파효율 좋음

• 벤치발파, 장공발파 등 대형발파에 적합

• 도폭선 시스템이나 순발 전기 뇌관과 동일한 정밀도의 완전한 제발 불가

• 결선 누락을 계측기로 점검할 수 없고 눈에 의존

Ⅱ.발파

13) 도폭선

도폭선 특징
• 폭약을 금속 또는 섬유로 피복한 끈모양의 화공품
• 점폭하면 5,000m/sec 정도의 폭속으로 폭굉
• 많은 폭약을 동시에 폭발시킬 수 있는 전폭약
• 연소가 목적이 아니라 폭굉을 목적으로 함으로 폭약과 동등하게 취급
• 도폭선 기폭에는 전기뇌관을 사용
• 도폭선내에 장전되는 폭약량은 일반적으로 1m당 7~20g 정도
• 1종(폭약 폭속 측정용), 2종, 3종(2종 도폭선에 방수도료) 도폭선

결선 및 분기	
목적	도폭선 이용한 발파 시 길이가 짧을 때, 반향전환(분기) 시 필요

• 결선 시 흡습 우려가 있으므로 도폭선 끝에서 5cm 이상의 여유
• 뇌관의 폭발 방향과 도폭선의 폭력 전달 방향이 일치하여야 함
• 분기 시에는 진행방향이 반대가 되지 않도록 주의

Ⅱ.발파

14) 발파용 기자재

도통시험기
• 회로점검을 위한 시험기로 전류는 0.01A 이하로 규제
• 도통시험을 폭약 장전장소에서 30m 떨어진 안전한 장소에서 실시
• 단, 1mA 이하 광전지식 도통시험기 사용시 장전현장에서 허용
저항측정기
• 발파회로의 저항을 측정하기 위하여 제작
• 측정전류는 0.002A (2Ma) 이하로 제한
• 저항 측정범위는 0.1 ~1,999 까지 측정 가능
누설전류측정기
• 발파현장 주변에 누설전류가 있는지의 여부를 조사
• 0.1A이상의 전류가 흐르고 있다고 측정기에 표시되면 전기뇌관에 의한 작업 중지
*뇌관 발화 최소전류 0.3A
• 누설 원인을 조사하여 대책을 강구하거나 비전기식 발파로 교체

Ⅱ.발파

발파기(전기식)	
• 전류를 통하게 하여 전기뇌관을 기폭시키는 휴대용 기구	
콘덴서식	전기에너지를 콘덴서에 충전 후 일정 전압이 되었을 때 발파회로에 순간적 방전
다단식	프로그램으로 조정된 지연 시차에 따라 다단계의 시차로서 연속적으로 기폭

• 발파기 규격 표시

규격 표시				
제품명	SMART DIGITAL BLASTING MACHINE.		Model.No	BM-500D
사용전원	1.5VOLT DRY BATTERY x 4EACH = 6 VOLT		콘덴서 용량	45(uF)
충전시간	DRY BATTERY/ALKALINE BARRERY	약15(초)	단자간 방전 전압	DC 1400±50[VOLTS]
발파출력에너지 (열량)			크기	165x95x175[mm]
실용신안등록번호			중량(g)	2000
Straight series circuit / 1 ohm resistance per cap / maximum 500 shorts.				

Y.H BOOK

Ⅱ.발파

11. 발파실패

1) 소결현상(Recementation)
- 폭굉압이 세면 파괴된 암반들이 무장약공을 매우면서 세립된 암이 다시 굳는 것
  - **해결방안: 비중이 적고 순폭도 좋은 폭약을 사용해야 함**

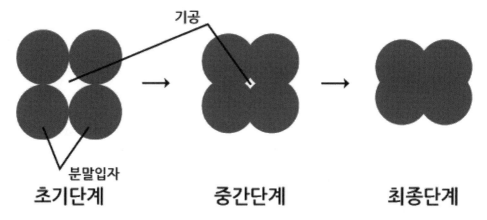

초기단계   중간단계   최종단계

2) 공발현상(=소총현상, Rifle)

- 무장약공과의 거리가 너무 멀거나 장약밀도가 작을 때
- 메지가 부적절할 때 화약이 암석을 파괴하지 못하고 총을 쏘듯이 유출 * 해결방안: 정밀 천공, 밀장전, 전색은 공구에 찰 정도로 한다

Ⅱ.발파

3) 브리지현상(Bridge)

- 장약장이 짧은 경우 주로 발생되며 활처럼 휘어지면서 파괴가 일어나며 공저에서 발파된 화약이 메지 길이 부분의 암을 밀어내지 못하는 현상
- 절리 등이 발달된 암층에서는 멀리 있는 인접공에서도 감응폭발이 일어나 기폭순서가 역으로 되어 발파효율 감소

4) 사압현상

- 폭약은 일반적으로 장전 비중이 크게 되면 폭발속도는 증가하지만, 초안(질산암모늄)계 폭약, 기타 특정의 폭약에는 일정 압력 이상으로 압착하면 점화해도 연소는 하나, 폭발하지 않음

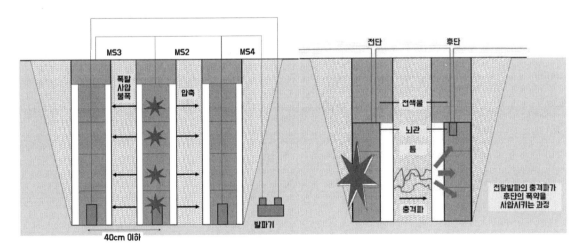

Y.H BOOK

Ⅱ.발파

12. 발파 후 확인

1) 불발 시 잔류폭약 처리방법]

① 불발된 발파공에서 60cm이상 (수굴 30cm 이상) 간격을 두고 평행천공하여 발파

② 고무호수로 물 주입(압력수)하여, 전색물과 화약류를 유출시켜 불발된 화약류 회수

③ 압축공기로 메지를 뽑아내거나, 뇌관에 영향을 미치지 아니하게 하면서 조금씩 장전하고 재 점화(압축공기로 메지 제거 후 전포약포 장전하고 다시 점화)

④ 상기방법으로 회수 불가시, 그 장소에 표시 후 화약류관리보안책임자 지시를 받음

※ 발파의 정상 유무 > 불폭 유무

2) 불발 시 조치

점화한 후 발파되지 아니하였거나 그 확인이 곤란할 때에는 발파 모선을 발파기에서 분리한 후 발파기부터 점검> 모선 및 뇌관의 이상 유무 재점검

Ⅱ.발파

13. 발파공해 저감대책

1) 진동 경감

※ 발파원으로부터 진동발생 억제하는 방법

① 장악량 제한

- 지발당 장악량 감소, 한 발파당 굴진장 감소, 단면 분할 발파, 최소저항선, 공간격 축소로 장악량 감소
- 디커플링 효과 이용, 터널발파에서는 심빼기에 MS 뇌관 사용하여 진동 상호 간섭으로 진동 경감, 벤치 발파의 경우 벤치 높이 감소

② 점화 방법 분할

- 지발뇌관사용 > 지발당 작악량 분할 됨 (지발발파)

※ 지발 시간이 너무 짧은 경우 발파 진동 경감효과 감소

③ 저폭속 폭약 사용

- 발파진동은 폭약 에너지의 충격파에 의한 동적 파괴의 경우에 더욱 커지므로 동적 파괴 효과의 비율이 적은 폭약(저폭속 폭약) 사용

※ 전파하는 진동을 차단하는 방법

- 발파원과 보호건물 사이 라인드릴링, 프리스플리팅 실시하여 진동의 전파를 차단하는 파쇄대나 불연속면 만들면 진동 경감
- 전파 경로상 지표면에 일정 깊이의 방진구를 파면 상당한 양의 진동이 감소

Y.H BOOK

Ⅱ.발파

2) 발파폭풍 경감]

① 완전 전색

② 벤치 높이 줄이거나 천공 지름 작게 > 지발당 장약량 감소

③ 방음벽 설치로 소리 전파 차단

④ 전기폭보다 역기폭

⑤ 소할 붙이기 발파 피할 것, 천공발파 시 모래주머니 등으로 덮기

⑥ MS전기뇌관으로 지발 발파

⑦ 벤치발파에서 앞 열 발파에 의해 생성된 파쇄암이 낙하하지 않았을 때 다음열 발파가 행해지면 이 파쇄 암들이 방음벽 역할을 하게 되고, 다음열 발파에서 발생하는 발파 풍압 상당히 감소(커튼효과)

3) 분진저감

살수법 : 분진 발생 억제, 직접 발생 부분에 수평 살수식으로 물을 뿌림

분무법 : 고압분무로 미세한 수적을 만들어 미세한 분진 침강

커버설치 : 젖은 가마니들을 덮어서 적정한 방지시설을 설치 후 발파

간접대책 : 방진시트나 분진 차단막 등의 방전벽 설치

Ⅱ.발파

4) 발파공해

발파진동 / 비산석 / 소음,분진,폭풍압

5) 비석대책

- 저항선, 천공방향을 보안물건 방향에 취하지 말아야 함
- 과장약 피하고 약간 약장약
- 공발이 되지 않도록 전색물을 충분히 해야 함
- 정밀 천공으로 오차 극히 작게 할 것
- 장약공을 충분히 청소한 후 정위치에 장약되도록
- 전폭약의 Cut-off가 발생하지 않도록 천공 배치 및 전폭약 위치에 주의
- 발파매트로 직접방호

Y.H BOOK

Ⅲ.지질

Ⅲ.지질

1. 시대별 지질 구조

지질시대			우리나라지질계통		
신생대	제4기	현세	제4계	층적통	
		플라이스토세		흥적통	
	제3기	플라이오세			
		마이오세	제3계	연일통	
		올리고세		장기통	
		에오세		용동통	
		다레오세		봉산통	
중생대	백악기		경상계	불국사통	
				신라통	
				낙동통	
	쥐라기				
			대동계	유경통	
				선연통	
	트라이아스기				

* 대보조산운동

중생대 쥐라기 말기 한반도 전역에 걸쳐 일어난 대규모 지각변동운동

Y.H BOOK

Ⅲ.지질

고생대	페름기	평안계	녹암통
	석탄기		고방산통
			사동통
			홍점통
	데본기		
	실루리아기		
	오르도비스기	조선계	대석회암통
	캠브리아기		양덕통
원생대	선캄브리아기	상원계	구현통
			사당우통
			직현통
시생대			
		화강편마암계	고구려 화강암
		결정편암계	마천령계,옥천계

Ⅲ.지질

2. 암석의 분류

• 암석의 순환 (윤회)

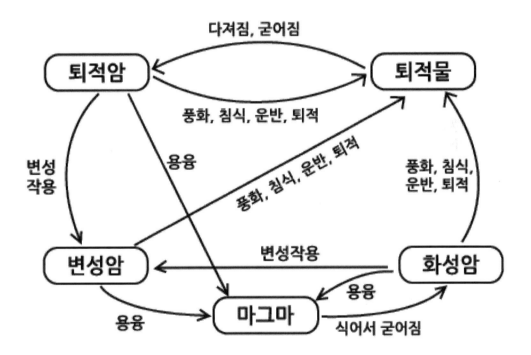

Ⅲ.지질

3. 암석의 종류

1) 화성암

마그마에 의한 화성활동에 의해 생성된 암석

화학성분에 의한 분류			염기성암	중성암	산성암
조직에 의한 분류	Sio2 함량		적음 ← 52%	−	66% → 많음
	색		어두운색 ←	중간	→ 밝은색
	함유원소		Ca·Fe·Mg ←	−	→ Na·K·Si
화산암	유리질 조직	세립질	용암류	현무암	안산암	유문암
반심성암	반상 조직	↕	암맥 병반	휘록암	반암	석영반암
심성암	입상 조직	조립질	암주 저반	반려암	섬록암	화강암

- Sio2 함량에 따라 광물의 색이 달라짐.
- <u>45% 초염기성 / 52%이하 염기성암</u> ← **중요**

Ⅲ.지질

2) 화성암 분출상태

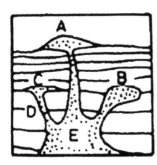

A – 분출암상
B – 병반
C – 관입암상
D – 암맥
E – 저반

- 저반: 심성암체를 형성하고 있으며 현수체

  (루프팬던트 : Roof pendant)와 관련이 깊다. / 심성암체의 면적이 200km² 이상)

- 암주: 심성암체의 면적이 200km² 이하

- 암맥: 판모양의 화성암체

- 병반: 만두모양 또는 렌즈상의 관입암체

Ⅲ.지질

3) 퇴적암

- 퇴적물이 물리적 / 화학적 변화를 받아 고화된 암석

퇴적암의 종류
쇄설성 퇴적암
부유 입자들이 퇴적되어 다져진 암석 Ex) 역암, 사암, 셰일 / 화산 쇄설물 – 응회암, 집괴암
화학적 퇴적암
용존 입자들이 침전되어 다져진 암석 Ex) 석회암, 처트, 석고, 암염
유기적 퇴적암
생물의 유해가 쌓여서 만들어진 퇴적물 Ex) 석탄, 백악, 규조, 석회암, 쳐어트, 무연탄

풍화와 침식
쇄설성 퇴적암 특징 주성분 광물은 석영, 분급이 양호, 퇴적물 입자들의 원마도가 양호
지하수가 이동할 때에는 퇴적장용 보다 침식작용이 우세
화학적 풍화작용은 주로 습윤 온난한 지대에서 활발
기계적 풍화작용이 우세한 지역: 한랭한 극지방, 건조한 사막지방, 고산지대

Y.H BOOK

Ⅲ.지질

퇴적암의 특징
층리
여러 종류의 지층이 쌓여 이루어진 평행구조
화석
암석의 생성시 살던 생물의 흔적
연흔
해류나 파도, 바람에 의해 생기는 퇴적 구조
건열
진흙질의 퇴적물이 건조되면 표면이 수축하여 불규칙한 다각형 모양으로 갈라지는 구조
사층리
퇴적암에서 퇴적당시의 물의 흐른 방향을 알 수 있는 구조
결핵체
퇴적암과 조성이 다른 광물질이 뭉쳐 생긴 여러 모양의 덩어리
점이층리
퇴적물의 퇴적시 아래쪽 굵은 알갱이, 위로는 점차 작은 알갱이들이 쌓이는 구조
다져짐작용, 고결작용, 재결정작용
• 퇴적물이 쌓인 후 암석으로 되기까지 여러 단계를 걸쳐 일어나는 작용 • 퇴적물이 오랜 시간이 경과함에 따라 물리적, 무기화학적, 생화학적 변화를 받아 퇴적물의 성분과 조직에 변화가 생기면서 퇴적암으로 되는 것

Ⅲ.지질

4) 변성암

암석이 고체 상태에서 온도와 압력으로 인해 새로운 조성과 조직으로 변하여 (변성작용) 생성된 암석

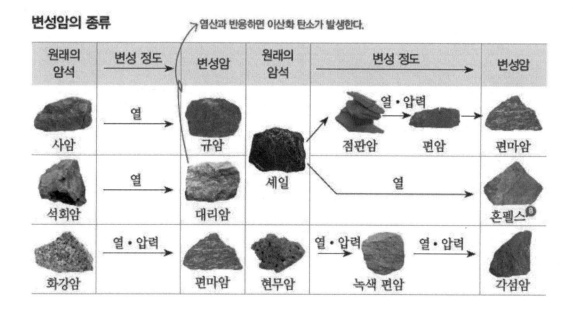

변성암의 종류

원래의 암석	변성 정도	변성암	원래의 암석	변성 정도		변성암
사암	열 →	규암	셰일	점판암 → 편암 (열·압력)		편마암
석회암	열 →	대리암		열 →		혼펠스
화강암	열·압력 →	편마암	현무암	녹색 편암 (열·압력)	각섬암 (열·압력)	각섬암

염산과 반응하면 이산화 탄소가 발생한다.

Ⅲ.지질

변성암의 종류
선구조
변성암에서 바늘 모양의 광물이나 주상의 광물이 한 방향으로 평행하게 배열되어 나타나는 구조 – 벽개구조(점판암, 슬레이트)
편리(편암)
변성암에서 구성 광물들이 균질하게 배열되어 있는 엽리
편마구조(편마암)
변성암에서 유색광물과 무색광물들이 나타나는 줄무늬 편마암은 구조에 따라 안구편마암, 호상편마암, 압쇄편마 등으로 나눌 수 있다.
반상 변정질 조직
변성암이 가지는 조직
엽리 (천매암)
큰 압력을 받아 광물들이 납작하게 눌려 일정한 방향으로 배열된 것

Ⅲ.지질

4. 암반

1) 암반의 변형요인

- **구속응력**: 암반의 변형 또는 파괴
- **온도**: 암석의 강도 변화에 영향
- **시간**: 암반의 변형 또는 파괴
- **용해도**: 용해 또는 침전 등의 변질
- **간극수압(공극수압)**: 암석의 약화

2) 응력, 강도 및 변형

- **응력(Stress)**
  - 암반 외부에서 힘이 작용할 때 암반 내부에서 생기는 저항력 또는 내력
  - 단위 면적 당 발생하는 내력의 크기
  - 압축응력, 전단응력, 인장응력, 휨응력

- **강도(Strength)**
  - 작용하는 외력에 견딜 수 있는 최대의 크기, 응력과 동일한 단위
  - 압축강도, 전단강도, 인장강도, 휨강도

- **변형(Strain)**
  - 작용하는 외력의 형태에 따라 암반의 변하는 형태,
    변하는 정도를 변형률이라 지칭

Y.H BOOK

Ⅲ.지질

3) 암석의 변형요인

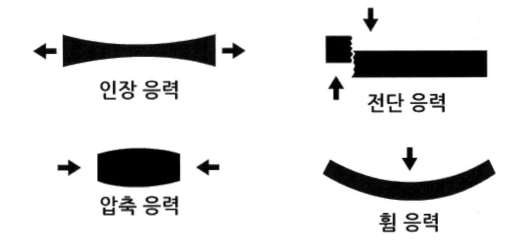

- **주변응력**: 암반의 변형 또는 파괴
- **온도(Temperature)**: 암석의 강도 변화에 영향
- **시간(Time)**: 암반의 변형 또는 파괴
- **용해도(Solution)**: 용해 또는 침전 등의 변질
- **간극수압(공급수압)**: 암석의 약화

Ⅲ.지질

4) 암반 내 불연속면

구 분		내 용
성인	절리 및 단층	암반에 작용한 응력으로 형성된 분리면
	층리	퇴적암의 단위 퇴적 경계면
형태	엽리	층리면에 평행하게 발달된 벽개면
	부정합	상위층이 퇴적하기 전 하위층이 퇴적된 것

5. 주향과 경사

- 주향: 불연속면과 수평면의 교선이 북쪽과 이루는 방향 각도
- 경사: 불연속면의 최대 경사각도, 수평면에서 아랫방향
- 불연속면 측정 도구: 클리노미터, 클리노컴파스
- 불연속면 표시 방법

  주향: ①기준 ②각도 ③방향　　ex) N30W / 60SE

  경사:　　　②각도 ③방향　　①,②,③ / ②,③

Y.H BOOK

Ⅲ.지질

6. 습곡

1) 습곡의 정의

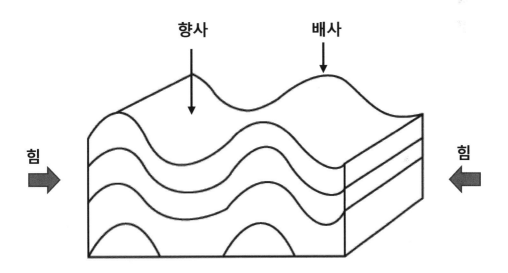

- 지층이 횡압력을 받아 물결처럼 굴곡된 단면을 보여주는 구조
- 습곡구조가 가장 잘 관찰되는 암석은 층리로 된 퇴적암
- 습곡의 기준이 되는 요소는 <u>습곡축, 축면 경사, 윙의 기울기</u>
- **배사**: 습곡의 단면에서 구부러진 모양의 정상부
- **향사**: 습곡에서 구부러져 내려간 부분, 가장 낮은 부분

Y.H BOOK

Ⅲ.지질

2) 습곡의 구조

- 습곡축: 힌지에 평행한 선
- 힌지: 습곡된 층의 최대의 곡면이 이루는 곳
- 습곡축면: 축을 지나는 평면
- 날개: 습곡의 양 사면

Ⅲ.지질

3) 습곡의 종류

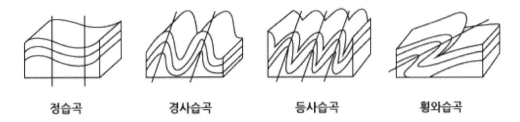

정습곡   경사습곡   등사습곡   횡와습곡

- 정습곡: 대칭이되는 습곡
- 경사습곡: 축면이 기울고, 두 날개의 경사가 다른 습곡
- 등사습곡: 축면과 두 날개 경사가 같은 습곡
- 횡와습곡: 습곡 축면이 거의 수평으로 기울어진 습곡
- 셰브론습곡: 소규모의 습곡이 W 자형으로 예리하게 꺾인 습곡

(1)복배사: 배사에 다수의 작은 습곡으로 집합
(2) 복향사: 향사에 다수의 작은 습곡으로 집합

Ⅲ.지질

7. 단층

1) 단층의 정의

- 한쪽이 다른 쪽에 대해서 이동한 면
- 면상에서 일어난 것(전단단열)
- 단순한 하나의 불연속면으로 인식되며 단일면, 단층대로 나타남
  * 단층대: 서로 평행한 밀접한 간격의 무수히 많은 소규모 단층들의 집합지역

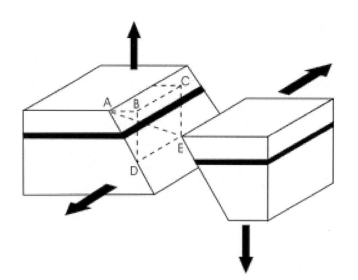

AB: 수평이동
BD: 낙차
AD: 경사이동
AE: 실이동
DE: 주향이동

Y.H BOOK

Ⅲ.지질

2) 단층의 종류

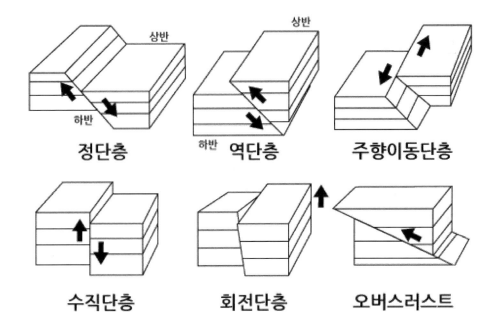

- 정단층: 상반이 하반에 대해 아래로 내려간 단층으로 장력에 의해 생성
- 역단층: 상반이 하반에 대해 위로 올라간 단층으로 압축력에 의해 생성
- 주향이동단층: 단층면의 주향 방향으로 이동한 것
- 사교단층: 단층면의 주향이 지층의 주향과 사교하는 단층(45°)
- 힌지단층: 한 지점을 중심으로 움직임이 한쪽만 있는 단층
- 회전단층: 한 지점을 중심으로 양 지괴가 반대로 회전한 것
- 스러스트단층: 역단층 중 경사가 45°이하인 저각의 단층

Ⅲ.지질

8. 부정합

- 부정합은 지질구조가 연속적으로 나타나지 않고 오랜 시간의 단절이 있는 후 퇴적된 지질구조
- 퇴적−습곡 / 단층−융기−침식−침강−퇴적의 과정을 거쳐 생성
- 침강 후 쌓이는 가장 처음의 퇴적층을 기저 역암이라 함

1) 부정합의 종류

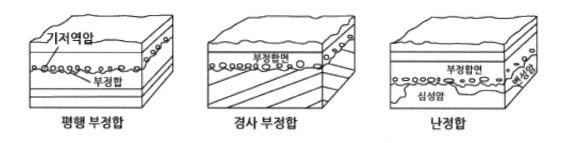

평행 부정합   경사 부정합   난정합

- 난정합: 부정합면 아래에 층리가 없는 <u>심성암, 변성암으로 이루어진 경우</u>
- 사교(경사)부정합: 부정합면 아래의 지층이 교란된 형태로 나타나는 경우
- 평행부정합: 부정합면 위의 지층의 성층면과 평행한 경우
- 준정합: 부정합면은 나타나지 않으나 그 사이에 큰 결층이 있는 경우

Ⅲ.지질

9. RQD와 RMR

- **TCR(Total Core Recovery, 코어회수율)**

$$TCR = \frac{\text{회수된 코어의 길이}}{\text{굴진 길이}} \times 100(\%)$$

- **RQD(Rock Quality Designation, 코어암질지수)** * 굴진 길이 = 총 시추길이

$$RQD = \frac{\Sigma(10cm\text{이상의 코어의 길이})}{\text{굴진길이}} \times 100(\%)$$

- **RMR 분류의 장단점**

장점	·토목, 광산 분야 등 다양한 분야에서 적용 ·각 요소들에 대한 평가가 비교적 쉬움 ·갱도의 유지시간, 최대 가능 폭 및 최대 무지보 폭 등의 예측 가능 ·암반의 물리적 특성치 추정 가능 ·갱도와 불연속면의 방향성 고려 가능 ·다양한 사례들이 출판되어 검증 가능
단점	·지보량 결정에 있어 개별 요소의 영향이 Q-System과 같이 세밀하지 않음 ·불연속면 간격 평가에 있어 불연속면 군 3개 이하에서 보수적 평가 수행 ·총 RMR을 5개의 등급으로 분류하여, 실제 영역간에 뚜렷한 경계가 없음 ·갱도 폭에 대한 연구가 충분치 않음 ·지압 25MPa 이하, 직경 10m의 천공 발파식 마제형 갱도에 대한 지보량 결정으로 적용범위 국한

Ⅲ.지질

10. 사면

1) 사면의 정의

암반 또는 지반에 노출된 경사면

- **인공사면**
  지반 또는 암반이 절취(깎기) 또는 성토(쌓기) 작업에 의해 인위적으로 단기간에 걸쳐 생성된 사면

- **자연사면**
  지각 변동 등에 의해 장시간에 걸쳐 생성된 사면

- **사면의 안정성 : 안전율**

  안전율 = 저항력의 총합 / 활동력의 총합

Ⅲ.지질

2) 흙사면의 종류

- **유한사면** : 암반층 위의 토층 깊이가 사면의 길이에 비해 큰 사면(제방, 댐)

① 직립사면 : 지반(점토)을 수직으로 절취
② 단순사면 : 사면의 정부와 선단이 평면을 이루는 사면
③ 무한사면 : 암반층 위 토층의 깊이가 사면의 길이에 비해 짧은 사면

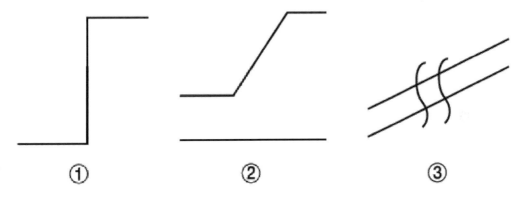

3) 흙사면의 파괴

- **단순사면(흙사면)의 파괴 유형**

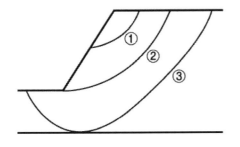

① 사면내파괴

② 사면선단파괴

③ 사면저부파괴

Ⅲ.지질

4) 암반사면의 파괴

- **암반사면의 파괴 유형**
  불연속면 분포 상태에 따라 파괴 유형 차이 발생

- **평면파괴**
  사면 내 분포하는 대표적 불연속면을 따라 파괴, 사면의 경사방향과
  불연속면의 경사방향이 ±30° 이내로 교차하는 경우

- **쐐기파괴**
  2개 이상의 불연속면이 교차하는 방향으로 파괴, 교선의 주향이 사면의
  경사방향과 ±30° 이내로 교차하는 경우

- **전도파괴**
  반대의 경사방향을 갖는 고경사 불연속면에 의해 파괴

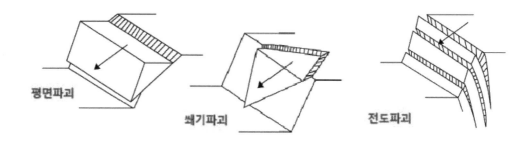

평면파괴   쐐기파괴   전도파괴

Y.H BOOK

IV.법규

Y.H BOOK

IV.법규

1. 보안물건

제 1종 보안물건
- 시가지의 주택, 학교, 병원, 국보로 지정된 건축물
제 2종 보안물건
- 촌락의 주택, 공원
제 3종 보안물건
- 석유저장시설, 발전소, 변전소, 공장, 철도
제 4종 보안물건
- 고압전선, 화약류취급소, 화기취급소

2. 폭약 1톤에 해당하는 화공품의 환산수량

- 실탄 또는 공포탄 200만개
- 총용뇌관 250만개
- 신호뇌관 250만개
- 공업용뇌관 또는 전기뇌관 200만개
- 도폭선 50km

IV. 법규

3. 꽃불류 사용의 기술상의 기준

1) 풍속이 초당 10m 이상 일때에는 꽃불류의 사용을 중지할 것
2) 쏘아 올리는 꽃불류는 20m 이상의 높이에서 퍼지도록 할 것
3) 꽃불류의 발사용 화약에 점화하여도 그 화약이 폭발 또는 연소되지 아니하는 때에는 그 발사통에 많은 양의 물을 넣고 10분 이상 경과한 후에 서서히 발사통을 눕히어 꽃불류를 꺼낼 것

4. 화약류 운반방법의 기술상의 기준

1) 화약류 운반을 자동차에 의하여야 하며 200km 이상의 거리를 운반하는 때 에는 운전자 교체가 가능하도록 동승자 1명 이상을 태울 것
2) 화약류를 실은 차량이 서로 진행하는 때에는 100m 이상 주차하는 때에는 50m 이상의 거리를 둘 것
3) 화약류를 특별한 사정이 없는 한 야간에 싣지 아니할 것

화약류 운반신고 → 운반 완료시 운반신고 필증을 도착지 관할 경찰서장에게 반납

IV.법규

5. 화약류 취급소의 설치기준

1) 지붕은 스레트, 기와 그 밖의 불에 타지 아니하는 재료 사용
2) 문짝 외면에 두께 2mm 이상의 철판을 씌우고, 2중 자물쇠 장치할 것
3) 단층 건물로서 철근 콘크리트조, 콘크리트 블록조 또는 이와 동등 이상의 견고한 재료를 사용하여 설치할 것
4) 건물 내면은 방습, 방부제인 페인트나 나무판자로 하고, 철물류가 건물 내부 표면에 나타나지 아니하도록 할 것
5) 난방 장치를 하는 때에는 온수, 증기 또는 열기를 이용하는 것 만을 사용할 것

6. 화약류 저장소에 흙둑을 쌓는 설치 기준

1) 흙둑의 경사는 45도 이하로 하고, 정상의 폭은 1m 이상으로 할 것
2) 흙둑은 저장소 바깥쪽 벽으로부터 흙둑의 안쪽벽 밑까지 1m이상
3) 2m이내의 거리를 두고 쌓을 것
4) 흙둑의 표면에는 가능한 한 잔디를 입힐 것

IV.법규

7. 화약류 저장소 주위에 간이흙둑을 설치하는 기준

1) 높이는 3급 저장소 지붕의 높이 이상으로 할 것
2) 정상의 폭은 60cm 이상
3) 정상은 빗물이 스며들지 아니하도록 판자등으로 씌우거나 잔디를 입힐 것
4) <u>간이흙둑의 경사는 75도 이하</u>

8. 화약류 취급소의 정체량

1일 사용 예정량 이하로 하되, 화약 또는 폭약에 있어서는 300kg
공업용뇌관 또는 전기뇌관은 3,000개, 도폭선 6km를 초과하여서는 아니된다.

9. 화약류 취급에 관한 사항

1) 전기뇌관의 경우 도통시험, 저항시험을 하되, 미리 시험전류를 측정하여
1암페어를 초과하지 아니하는 것을 사용하고 충분한 위해 예방조치를 할 것.
2) <u>간이 저장소에 저장할 수 있는 폭약은 최대 15kg</u>
3) 화약류 양수 허가의 유효기간에 대한 설명 → <u>1년을 초과할 수 없다.</u>
4) 화약류 저장소가 보안거리 미달로 보안건물을 침범했을 때 행정처분 기준
   → <u>감량 또는 이전명령</u>
5) 수중저장소에 화약류를 저장하는 경우 화약류를 수심 50cm 이상의
   물속에 저장하여야 함

IV.법규

10. 화약류 저장소의 허가

<u>화약류를 발파 또는 연소시키려는 사람은 사용지 관할 경찰서장에게 허가를 받아야 함</u>

시. 도 경찰청장의 허가	1급저장소, 2급저장소, 수중저장소, 도화선저장소
경찰서장의 허가	급저장소, 간이저장소
양수, 양도의 허가	관할 경찰서장

11. 위반시 벌금

*화약류의 사용허가를 받은 사람이 허가받은 용도와 다르게 사용하였을 때 *화약류 저장소의 위치 구조 및 설비를 허가없이 임의로 변경하였을 때
→ 5년 이하의 징역 또는 1천만원 이하의 벌금
*화약 운반신고를 거짓으로 한 경우
→ 2년 이하의 징역 또는 500만원 이하의 벌금
*화약류를 운반하는 사람이 운반신고필증 미지참 *화약류 폐기에 관해 신고를 하지 않거나 허위신고를 했거나, 관할 경찰서장의 명을 위반하였을 때
→ 300만원 이하의 과태료
*화약류 저장소 기준 위반 *적재.운반시 기술상 기준을 따르지 아니하였을 때
→ 3년 이하의 징역 또는 700만원 이하의 벌금

V. 공식

Ⅴ.공식

1. 발파공식

1) 누두지수: $V = \frac{R}{W}$

(R: 누두반경, W: 최소저항선)

2) 저항선 산출: $w = \frac{A}{Ca \cdot S}$

(w: 최소저항선 / A: 장약실 투사면적 / Ca: 암석항력계수 / S: 약실 주변의 길이)
- A: $nd \times d$ / S: $2(nd+d)$ * <u>장약길이는 장약직경 d의 n배</u>

ex) 젤라틴 다이나마이트를 사용하여 천공발파할 때 장약길이를 구멍지름 10배로 하였을 경우 최소저항선은 얼마인가? (단, 암석계수는 0.015, 구멍지름 d는 32mm)

풀이) $w = \frac{A}{Ca \cdot S}$ 이용
- A = nd^2 = 10 x 3.2 x 3.2 = $102.4cm^2$
- S = $2(nd+d)$ = 2(10 x 3.2 + 3.2) = $70.4cm$

답: W = $\frac{102.4}{0.015 \, X \, 70.4}$ = $96.97cm$

Y.H BOOK

Ⅴ.공식

3) 천공길이 $D = W + \frac{m}{2}$

(D: 천공길이 m: 장약길이)

ex) 최소저항선이 $100cm$이고 장약길이가 $60cm$일 때 천공길이는 얼마로 하는 것이 적당한가?

풀이) $D = W + \frac{m}{2}$ 를 이용

답: $D = 100 + \frac{60}{2} = 130cm$

4) 하우저 공식: $L = C \cdot W^3$

($C = g \cdot e \cdot d \rightarrow L = g \cdot e \cdot d \cdot W^3$)

g: 암석계수 / e: 폭약계수 / d: 전색계수 / w: 최소저항선

ex) 암석계수 0.3인 암석에 다이나마이트를 사용하여 발파하고자 한다. 전색을 완전하게 하고 최소저항선이 1.5m일 때 장약량은 얼마인가?

풀이) $L = g \cdot e \cdot d \cdot W^3$ 이용

- $L = 0.3 \times 1.0 \times 1.0 \times (1.5)^3 = 1.01kg$

Ⅴ.공식

5) 1자유면 채석체적: $V = \frac{1}{3}\pi \cdot R^2 \cdot W$
   2자유면 채석체적: $V = W^2 \cdot D$

(R: 누두반경, W: 최소저항선, D: 천공길이)
채석량: $V \cdot g$ (g: 암석비중)

6) 비례관계: 장약량, 채석체적, 저항선, 장약직경 관계

$$\frac{L1}{L} = \frac{V1}{V} = \frac{W1^3}{W^3} = \frac{d1^3}{d^3} = \frac{f(n1)}{f(n)} = \frac{f(W1) \, x \, W1^3}{f(W) \, x \, W^3}$$

ex) 시험발파에서 최소저항선이 1.4m일 때 장약량은 3.8kg으로 표준장약량이 되었다. 최소저항선을 1.8m로 하였을 때의 표준장약량을 계산하시오. (단, 비례식을 이용할 것)

풀이) $\frac{L1}{L} = \frac{V1}{V} = \frac{W1^3}{W^3} = \frac{d1^3}{d^3}$ 중 $\frac{L1}{L} = \frac{W1^3}{W^3}$ 이용

답: $\frac{L1}{3.8} = \frac{(1.8)^3}{(1.4)^3}$ $L1 = \frac{(1.8)^3}{(1.4)^3}$ x 3.8 = 2.13 x 3.8 = 8.09kg

Ⅴ.공식

7) 장약량의 수정: 누두지수의 함수(덤블럼의 식)

$$L = f(n) \cdot g \cdot e \cdot d \cdot W^3$$
- $$f(n) = (\sqrt{1+n^2} - 0.41)^3$$
- $$\frac{L}{L1} = \frac{f(n)}{f(n1)} \qquad L = \frac{f(n)}{f(n1)} \cdot L1$$

($f(n)$: 표준발파 누두지수함수 / $f(n1)$: 시험발파 누두지수함수)

ex) 최소저항선 1.2m에 브라스팅 젤라틴다이나마이트 1kg을 장약하여
시험발파를 한 결과 누두반경이 1m로 약장약 발파가 되었다.
표준발파가 되려면 장약량을 얼마로 하여야 하는가? (덤블럼의 공식 이용)

- 풀이) $\quad L = \frac{f(n)}{f(n1)} \cdot L1 \qquad f(n) = (\sqrt{1+n^2} - 0.41)^3$ 이용
- 시험발파 누두지수 $n = \frac{1}{1.2}$ = 0.83, 장약량 $L1$ = 1kg
- 시험발파 누두지수함수 $f(n1) = (\sqrt{1+n^2} - 0.41)^3 = (0.89)^3 = 0.70$
- 표준발파 누두지수함수 $f(n) = f(1) = 1$

답: $L = \frac{f(n)}{f(n1)} \cdot L1 \ = \frac{1}{0.70}$ x 1 = 1.43kg

8) 갱도발파 장약량

단위체적 장약량	$L = \frac{(n+1)^2}{n^2} \cdot f(w) \cdot g \cdot e \cdot d$
발파당 장약량	$L = \frac{(n+1)^2}{n^2} \cdot f(w) \cdot g \cdot e \cdot d \cdot W \cdot A$
굴착단면계수	$\frac{(n+1)^2}{n^2}$

V. 공식

9) 발파규모에 의한 장약량의 수정 (라레의 식)

$$L = f(W) \cdot C \cdot W^3 \ / \ L = f(W) \cdot g \cdot e \cdot d \cdot W^3$$

- $f(W) = (\sqrt{1 + \frac{1}{W}} - 0.41)^3$

(W : 최소저항선 / C : 발파계수)

ex) 시험발파를 최소저항선 W=1m로 할 때의 표준 장약량이 0.8kg 이라 하면 같은 장소에서 W=3m로 하여 발파 하려면 표준 장약량은 몇 kg이 되는가? (단 라래의 수정식을 이용)

풀이) $L = f(W) \cdot C \cdot W^3$ / $f(W) = (\sqrt{1 + \frac{1}{W}} - 0.41)^3$ 이용

- 시험발파시 최소저항선 W = 1m이므로 발파규모계수 $f(1) = 1$

  발파계수 C = $\frac{L}{W^3} = \frac{0.8}{1^3}$ = 0.8 (W = 1m일 때 발파계수)

- W = 3m 일 때 $f(3) = (\sqrt{1 + \frac{1}{3}} - 0.41)^3$ = 0.405

따라서 $L = f(W) \cdot C \cdot W^3$ = f(3) · 0.8 · (3)³ = 0.405 x 0.8 x 27 = 8.75kg

V. 공식

10) 심발발파공의 장약량

경사공 심발: $L = f(w) \cdot C \cdot W^3$ / $L = f(w) \cdot g \cdot e \cdot d \cdot W^3$

평행공 심발: $L = C \cdot B \cdot W^3$

- L : 장약량(kg) / C : 발파계수 / W : 공간격(m) / B : 천공길이(m)

11) 벤치발파 장약량

$L = C \cdot W^2 \cdot H$ / $L = C \cdot W \cdot S \cdot H$

- L : 약량(kg) / S : 공간격(m) / H : 계단의 높이(m)

C : 발파계수(보통 0.3~0.35) / W : 최소저항선(m)

Y.H BOOK

V.공식

12) 소할발파 장약량

$$L = C \cdot D^2$$

- D: 짧은 길이

13) 전기 발파의 회로전류계산

옴의 법칙 $V = I \cdot R$

- V: 전압 / I: 전류(A) / R: 저항

직렬 결선 $V = I(R_1 + nR_2 + R_3)$

- R1: 모선저항 / R2: 뇌관저항 / R3: 발파기저항 / n: 뇌관 수

병렬 결선 $V = n \cdot I(R_1 + \dfrac{R_2}{n} + R_3)$

직.병렬 결선 $V = b \cdot I(R_1 + \dfrac{a}{b}R_2 + R_3)$

- b: 병렬회로수 / a: 각 병렬회로의 뇌관수

Ⅴ. 공식

2. 화약학 공식

1) 산소평형 (Oxygen balance)

$$O.B = \frac{32 \times \text{반응시 남거나 부족한 산소의 몰수}}{\text{분자량}}$$

간략 계산식: $C_xH_yO_zN_u$ 일 때

$$- O.B = \frac{16[z-2x-\frac{y}{2}]}{\text{분자량}}$$

* 화약류 조성 성분과 반응 후 조성

- 기본원소: C, H, N, O, K, Na, Ci

- 반응 후: $H \rightarrow H_2O$ / $C \rightarrow CO_2$ / $N \rightarrow N_2$ / $K \rightarrow K_2O$ / $Na \rightarrow Na_2O$

　　　　　$Cl \rightarrow KCl, NaCl$ / $Al \rightarrow Al_2O_3$ / $S \rightarrow SO_2$

- 원소 질량수

H(1) / C(12) / N(14) / O(16) / Na(22) / Cl(34) / K(38)

V.공식

2) 화약의 감도시험 중 순폭시험 순폭도

- 순폭도 $= \dfrac{S}{d}$ **S: 순폭거리, d: 약포직경**

3) 정적위력시험 중 탄동구포시험에서 폭약의 상대위력

- RWS $= \dfrac{1-cos\theta}{cos\theta_O} \cdot 100$

- θ: 시험폭약의 움직인 각도 / θ_O: 기준폭약의 움직인 각도
- 기준폭약은 블라스팅젤라틴(NG 92%, NC 8%)

Y.H BOOK